Das ultimative Marmeladen-Kochbuch

100 köstliche Rezepte für hausgemachte Marmeladen, Gelees und Konfitüren mit klassischen Geschmacksrichtungen und einzigartigen Kombinationen sowie Expertentipps für die Auswahl, Zubereitung und Lagerung Ihrer Früchte, perfekt zum Verschenken oder zum Auffüllen Ihrer Speisekammer

Simon Fuchs

Haftungsausschluss

Die in diesem Buch enthaltenen Informationen sollen als umfassende Sammlung von Strategien dienen, über die der Autor dieses Buches recherchiert hat. Zusammenfassungen, Strategien, Tipps und Tricks werden nur vom Autor empfohlen, und die Lektüre dieses Buches garantiert nicht, dass die eigenen Ergebnisse genau den Ergebnissen des Autors entsprechen. Der Autor des Buches hat alle angemessenen Anstrengungen unternommen, um den Lesern des Buches aktuelle und genaue Informationen bereitzustellen. Der Autor und seine Mitarbeiter haften nicht für etwaige unbeabsichtigte Fehler oder Auslassungen. Das Material im Buch kann Informationen von Dritten enthalten. Bei den Materialien Dritter handelt es sich um Meinungen ihrer Eigentümer. Daher übernimmt der Autor des Buches keine Verantwortung oder Haftung für Materialien oder Meinungen Dritter.

INHALTSVERZEICHNIS

EINFÜHRUNG

Sind Sie ein Fan von hausgemachter Marmelade und Eingemachtem? Dann ist das ultimative Jam-Kochbuch genau das Richtige für Sie! Mit 100 köstlichen Rezepten zur Auswahl haben Sie die Qual der Wahl, wenn es darum geht, Ihre nächste Kreation mit Fruchtfüllung auszuwählen. Das können Sie von diesem umfassenden Kochbuch erwarten:

- Eine große Auswahl an Geschmackskombinationen: Von klassischen Rezepten wie Erdbeere und Blaubeere bis hin zu einzigartigeren Mischungen wie Rhabarber und Rose oder Birne und Ingwer bietet dieses Kochbuch für jeden Geschmack etwas. Mit 100 Rezepten zur Auswahl wird Ihnen nie die Inspiration ausgehen.

- Kompetente Ratschläge zum Einkochen von Obst: Auch als Küchenneuling erleichtert dieses Kochbuch den Einstieg in die Marmeladenherstellung. Sie finden hilfreiche Tipps zur Auswahl der besten Früchte, zur Vorbereitung zum Einmachen und zur Sicherstellung, dass Ihre Marmeladen über Monate hinweg frisch bleiben.

- Perfekt zum Verschenken oder zum Auffüllen Ihrer Speisekammer: Selbstgemachte Marmeladen sind ein schönes Geschenk für Freunde und Familie, oder sie können verwendet werden, um Ihrem Morgentoast oder Nachmittagstee einen Hauch von Süße zu verleihen. Mit 100 Rezepten haben Sie immer ein Glas köstliche Marmelade zur Hand, wann immer Sie es brauchen.

Herzhafte Marmeladen

1. Apfel-Thymian-Salbei-Gelee

Ergibt: 5 Pfund

ZUTATEN:

- 3 Pfund Bramley-Kochäpfel
- 3 Pfund Kristallzucker
- 2 Pints (1130 ml) Wasser
- 1 oz (30 g) Thymian/Salbei, gehackt
- ½ Flasche flüssiges Pektin

ANWEISUNGEN:

a) Den Apfel waschen, in kleine Stücke schneiden, aber nicht schälen oder entkernen.

b) Die Früchte mit dem Wasser in einen Topf geben, abdecken und köcheln lassen, bis die Früchte entstehen

c) ist weich genug zum Pürieren. Lassen Sie das Fruchtpüree durch einen Geleebeutel abtropfen.

d) Den Zucker und 2 Pints (1130 ml) Saft in einen großen Topf geben und vorsichtig erhitzen, bis sich der Zucker aufgelöst hat, dabei gelegentlich umrühren.

e) Schnell zum Kochen bringen und 1 Minute lang schnell kochen lassen.

f) Das flüssige Pektin einrühren und unter gelegentlichem Rühren eine weitere halbe Minute kochen lassen.

g) Thymian/Salbei unterrühren. Vom Herd nehmen und bei Bedarf abschöpfen.

h) Wie gewohnt eintopfen und abdecken.

2. Minzgelee

Ergibt: 1½ Pfund

ZUTATEN:

- Großer Bund Minze
- 1 Pfund Zucker
- ½ Pint weißer Essig
- Grüne Färbung
- 1 Flasche flüssiges Pektin

ANWEISUNGEN:

a) Die Minze gründlich waschen und in zwei Teile teilen.

b) Nehmen Sie die Blätter von einem Bund, drücken Sie das überschüssige Wasser aus und hacken Sie sie fein. Essig und Zucker mit dem zweiten Bund Minze in einen Topf geben und bei schwacher Hitze rühren, bis sich der Zucker aufgelöst hat.

c) Entfernen Sie das Minzbündel. 1 Minute zum Kochen bringen.

d) Den Sirup durch ein Musselinsieb abseihen und zurück in den Topf geben.

e) Flüssiges Pektin einrühren, aufkochen und 2 Minuten kochen lassen. Gehackte Minze und Farbstoff hinzufügen.

f) Etwas abkühlen lassen, damit die Minze nicht aufschwimmt.

g) Wie gewohnt abschöpfen, umtopfen und abdecken.

3. Süßes Apfelgelee

Ergibt: 5 Pfund

ZUTATEN:

- 2 Pints (1130 ml) süßer Apfelwein
- 3¼ Pfund Zucker
- 1 Flasche flüssiges Pektin

ANWEISUNGEN:

a) Apfelwein und Zucker in einen großen Topf geben und gut vermischen.
b) Unter gelegentlichem Rühren leicht erhitzen, bis sich der Zucker aufgelöst hat. Fügen Sie das flüssige Pektin hinzu.
c) Zum Kochen bringen und 1 Minute lang kräftig kochen lassen.
d) Wie gewohnt abschöpfen, umtopfen und abdecken.

4. Heißes grünes Pfeffergelee

Ergibt: 7 Pfund

ZUTATEN:

- 3 große Paprika – entkernt und in Stücke geschnitten
- 5 Pfund (2,3 kg) Zucker
- 24 Unzen (700 ml) Apfelessig
- 12 Grüne Chilis – Kerne drin lassen, einfach den Stiel abschneiden
- 2½ Unzen (80 ml) Wasser 2 Flaschen flüssiges Pektin

ANWEISUNGEN:

a) Alle Zutaten außer Zucker und flüssigem Pektin verflüssigen.

b) In einen großen Topf geben, den Zucker hinzufügen und 8 Minuten lang schnell kochen lassen.

c) Vom Herd nehmen, abseihen, flüssiges Pektin und nach Wunsch ein paar Tropfen grünen Farbstoff hinzufügen.

d) Gut umrühren, in Gläser füllen und verschließen.

5. Knoblauch- oder Schalottengelee

Ergibt: 5 Pfund

ZUTATEN:

- 85 g fein gehackter Knoblauch ODER Schalotten
- 3 Pfund Zucker
- 24 Unzen (700 ml) Weißweinessig
- 16 Unzen (450 ml) Wasser ½ Flasche flüssiges Pektin

ANWEISUNGEN:

a) Knoblauch oder Schalotten mit Essig vermischen und ohne Deckel bei mittlerer Hitze 15 Minuten leicht köcheln lassen.

b) Vom Herd nehmen und in ein geeignetes Glasgefäß oder eine Auflaufform füllen: Abdecken und 24 bis 36 Stunden bei Raumtemperatur stehen lassen.

c) Gießen Sie den Essig durch ein Sieb in einen großen Topf und drücken Sie Knoblauch oder Schalotten mit der Rückseite eines Löffels aus, um so viel Flüssigkeit wie möglich zu erhalten. Anschließend Reste entsorgen.

d) Wasser und Zucker hinzufügen.

e) Bei mittlerer Hitze zum Kochen bringen.

f) Flüssiges Pektin einrühren und unter ständigem Rühren 1 Minute lang zum Kochen bringen.

g) Bei Bedarf abschöpfen, Topf abschöpfen und abdecken.

6. Rote-Bete-Marmelade

Ergibt: 4½ Pfund

ZUTATEN:

- 800 g rohe Rote Bete (oder 1 Pfund gekocht).
- 2¾ Pfund (1,3 kg) Zucker
- ¾ Pint (425 ml) Essig
- 1 Flasche flüssiges Pektin

ANWEISUNGEN:

a) Wenn die Rote Bete roh ist, kochen Sie sie, ziehen Sie dann die Schale ab und schneiden Sie sie sehr fein.

b) Zucker und Essig abmessen, in einen großen Topf geben und die vorbereitete Rote Bete hinzufügen.

c) Gut vermischen und unter gelegentlichem Rühren langsam erhitzen, bis sich der Zucker aufgelöst hat.

d) Zum Kochen bringen und 2 Minuten lang schnell kochen lassen.

e) Vom Herd nehmen und flüssiges Pektin einrühren.

f) Abwechselnd kurz umrühren und abschöpfen

g) 5 Minuten, um etwas abzukühlen. Wie gewohnt eintopfen und abdecken.

7. Zwiebelmarmelade

Ergibt: 2 Pfund Marmelade

ZUTATEN:

- 1 Pfund 3 oz (600 g) Zwiebeln
- 1 Pfund 9 oz (700 g) Zucker
- 1½ Esslöffel (20 ml) Olivenöl
- 7 oz (20 g) Rote Johannisbeeren
- 7 oz (200 ml) Weinessig
- 2 Esslöffel (30 ml) Zitronensaft
- ¼ Flasche flüssiges Pektin
- Gewürze (¼ Teelöffel Ingwer und ¼ Teelöffel Piment, oder nach Geschmack)

ANWEISUNGEN:

a) Die Zwiebel in kleine Streifen schneiden. Das Öl erhitzen und die Zwiebeln hinzufügen. Abdecken und vorsichtig braten, ohne zu bräunen, bis die Zwiebel durchsichtig und zart ist (ca. 15–20 Minuten).

b) Rote Johannisbeeren, Weinessig und Zitronensaft hinzufügen, zum Kochen bringen, abdecken und köcheln lassen, bis die roten Johannisbeeren und Zwiebeln ganz weich sind (20 Minuten oder nach Bedarf).

c) Den Zucker hinzufügen, zum Kochen bringen und SCHNELL 6 Minuten kochen lassen. Fügen Sie ¼ Flasche flüssiges Pektin hinzu, nehmen Sie es vom Herd und testen Sie, ob eine Probe auf einem kühlen Teller fest wird. Nach Bedarf noch einmal in 2-3-minütigen Schritten kochen, bis eine Probe nach ein paar Minuten auf dem Teller eine deutliche Haut aufweist.

d) Einige Minuten abkühlen lassen, umrühren und auf die übliche Art und Weise mit einem essigbeständigen Deckel aufgießen.

8. Süße Chili-Marmelade

Ergibt: 4 Gläser

ZUTATEN:

- 8 rote Paprika entkernt und grob gehackt
- 10 gehackte rote Chilis, inklusive Samen
- Fingergroßes Stück frischen Ingwer, geschält und gehackt
- 1 Pfund goldener Zucker
- 8 Knoblauchzehen geschält
- 1¾ Pfund (790 g) Kirschtomaten halbiert, Stielansatz herausgeschnitten
- 250 ml Rotweinessig
- 1 Flasche flüssiges Pektin

ANWEISUNGEN:

a) Geben Sie alle Zutaten außer flüssigem Pektin in einen Topf mit dickem Boden.

b) Aufkochen, Hitze reduzieren und 50 Minuten köcheln lassen, dann vom Herd nehmen.

c) Mit einem Stabmixer die Zutaten zerkleinern, wieder auf den Herd stellen und unter häufigem Rühren schnell aufkochen lassen, dabei eventuell entstehenden Schaum abschöpfen, bis er klebrig wird.

d) Das flüssige Pektin einrühren und 5 Minuten kochen lassen und dann 5 Minuten ruhen lassen. In sterilisierte Gläser füllen. Deckel aufsetzen und in einem dunklen Schrank aufbewahren.

9. Pfeffermarmelade

Ergibt: 3,5 Pfund Marmelade

ZUTATEN:

- 6-8 mittelgroße Paprika
- 2 ¾ Pfund (1,25 kg) Zucker
- ½ Pint (240 ml) Essig 1 Flasche flüssiges Pektin

ANWEISUNGEN:

a) Für die beste Farbe verwenden Sie gleiche Mengen an grünen und roten Paprika. Um die Paprika zuzubereiten, schneiden Sie die Kerne auf, entfernen Sie sie und hacken Sie dann das Fruchtfleisch fein.

b) Zucker und Essig in einen großen Einmachtopf abmessen und hinzufügen

c) 14 oz (0,4 kg) der vorbereiteten Paprika.

d) Gut vermischen und bei starker Hitze zum Kochen bringen. Vor und während des Kochens ständig umrühren.

e) 2 Minuten lang schnell kochen lassen. Vom Herd nehmen, flüssiges Pektin einrühren.

f) 5 Minuten abkühlen lassen. Bei Bedarf abschöpfen.

g) Wie gewohnt eintopfen und abdecken.

Konservierte Marmeladen

10. Apfel-Chile-Marmelade

Ergibt: 5 (½ Pint) Gläser

ZUTATEN:

- 2 große Äpfel, geschält und gerieben
- 3 Esslöffel Zitronensaft aus der Flasche
- 4 Tassen Apfelsaft
- 3 Esslöffel zuckerfreies Pektin
- 1 Esslöffel zerstoßener Chili de árbol oder getrockneter, zerstoßener roter Pfeffer
- ½ Tasse Honig

ANWEISUNGEN:

a) Kombinieren Sie geriebenen Apfel und Zitronensaft in einem 4-Liter-Edelstahl- oder emaillierten Schmortopf. Unter ständigem Rühren 10 Minuten kochen lassen oder bis der Apfel weich ist.

b) Apfelsaft, Pektin und zerstoßenes Chili de árbol unterrühren. Bringen Sie die Mischung bei starker Hitze und ständigem Rühren zum Kochen, sodass sie nicht mehr umgerührt werden kann.

c) Honig hinzufügen. Bringen Sie die Mischung wieder zum Kochen. Unter ständigem Rühren 1 Minute lang hart kochen. Vom Herd nehmen. Bei Bedarf Schaum abschöpfen.

d) Heiße Marmelade in ein heißes Glas schöpfen und dabei einen Freiraum von ¼ Zoll lassen. Luftblasen entfernen. Glasrand abwischen. Deckel auf dem Glas zentrieren. Bringen Sie das Band an und passen Sie es handfest an. Stellen Sie das Glas in einen Einkochtopf mit kochendem Wasser. Wiederholen, bis alle Gläser gefüllt sind.

e) Verarbeiten Sie die Gläser 10 Minuten lang und passen Sie sie an die Höhe an. Schalten Sie die Heizung aus. Nehmen Sie den Deckel ab und lassen Sie die Gläser 5 Minuten lang stehen. Gläser herausnehmen und abkühlen lassen.

11. Balsamico-Zwiebelmarmelade

Ergibt: 5 (½ Pint) Gläser

ZUTATEN:

- 2 Pfund Zwiebeln, gewürfelt
- ½ Tasse Balsamico-Essig
- ½ Tasse Ahornsirup
- 2 Teelöffel gemahlener weißer Pfeffer
- 1 Lorbeerblatt
- 2 Tassen Apfelsaft
- 3 Esslöffel zuckerfreies Pektin
- ½ Tasse Honig

ANWEISUNGEN:

a) Kombinieren Sie die ersten 6 Zutaten in einem 6-Liter-Edelstahl- oder emaillierten Schmortopf. Bei mittlerer Hitze 15 Minuten kochen lassen oder bis die Zwiebeln glasig sind, dabei gelegentlich umrühren.
b) Apfelsaft und Pektin unterrühren. Bringen Sie die Mischung bei starker Hitze und ständigem Rühren zum Kochen, sodass sie nicht mehr umgerührt werden kann.
c) Den Honig hinzufügen und umrühren, bis er sich auflöst. Bringen Sie die Mischung wieder zum Kochen. Unter ständigem Rühren 1 Minute lang hart kochen. Vom Herd nehmen. Entfernen Sie das Lorbeerblatt und entsorgen Sie es. Bei Bedarf Schaum abschöpfen.
d) Heiße Marmelade in ein heißes Glas schöpfen und dabei einen Freiraum von ¼ Zoll lassen. Luftblasen entfernen. Glasrand abwischen. Deckel auf dem Glas zentrieren. Bringen Sie das Band an und passen Sie es handfest an. Stellen Sie das Glas in einen Einkochtopf mit kochendem Wasser. Wiederholen, bis alle Gläser gefüllt sind.
e) Verarbeiten Sie die Gläser 15 Minuten lang und passen Sie sie an die Höhe an. Schalten Sie die Heizung aus. Nehmen Sie den Deckel ab und lassen Sie die Gläser 5 Minuten lang stehen. Gläser herausnehmen und abkühlen lassen.

12. Blaubeermarmelade

Ergibt: 9 halbe Pints

ZUTATEN:

- 8 Tassen frische Blaubeeren
- 6 Tassen Honig
- 3 Esslöffel Zitronensaft
- 2 Teelöffel gemahlener Zimt
- 2 Teelöffel abgeriebene Zitronenschale
- ½ Teelöffel gemahlene Muskatnuss
- 6 Unzen flüssiges Fruchtpektin ohne Zucker

ANWEISUNGEN:

a) Blaubeeren in eine Küchenmaschine geben; abdecken und pulsieren lassen, bis alles fast vollständig vermischt ist.

b) In einen Suppentopf umfüllen. Honig, Zitronensaft, Zimt, Zitronenschale und Muskatnuss unterrühren. Bei starker Hitze unter ständigem Rühren zum Kochen bringen. Pektin einrühren.

c) Unter ständigem Rühren 1 Minute kochen lassen.

d) Vom Herd nehmen; Schaum abschöpfen. Füllen Sie die heiße Mischung in heiße, sterilisierte Halblitergläser und lassen Sie dabei einen Freiraum von ¼ Zoll frei.

e) Luftblasen entfernen; Felgen abwischen und Deckel anpassen. 10 Minuten in einem Einkochtopf mit kochendem Wasser verarbeiten.

13. Himbeermarmelade

Macht: 6halbe Pints

ZUTATEN:

- 3½ Pfund frische Himbeeren, zerdrückt
- ½ Tasse frischer Zitronensaft
- 4 Esslöffel zuckerfreies Pektin
- 1½ Tassen Honig

ANWEISUNGEN:

a) Himbeeren in einen Schmortopf geben.
b) Zitronensaft und Pektin einrühren. Kochen Sie die Mischung.
c) Rühre ein, Schatz. Noch 1 Minute erhitzen.
d) In ein heißes Glas füllen und dabei einen Freiraum von ¼ Zoll lassen. Lassen Sie Luftblasen ab und zentrieren Sie den Deckel.
e) Bringen Sie das Band an und machen Sie es fest.
f) Stellen Sie das Glas in einen Einkochtopf mit kochendem Wasser.
g) Unter Berücksichtigung der Höhe 10 Minuten lang verarbeiten.
h) Gläser herausnehmen und abkühlen lassen.

14. Erdbeer-Tequila-Marmelade

Ergibt: 4 halbe Pints

ZUTATEN:

- 5 Tassen gehackte frische Erdbeeren, zerdrückt
- ½ Tasse Tequila
- 5 Esslöffel zuckerfreies Pektin
- 1 Tasse Agavensirup

ANWEISUNGEN:

a) Erdbeeren und Tequila in einem Schmortopf vermischen.
b) Pektin einrühren.
c) Kochen Sie die Mischung.
d) Agavensirup einrühren. Noch 1 Minute erhitzen.
e) In ein heißes Glas füllen und dabei einen Freiraum von ¼ Zoll lassen. Lassen Sie Luftblasen ab und zentrieren Sie den Deckel. Bringen Sie das Band an und machen Sie es fest. Stellen Sie das Glas mit kochendem Wasser in den Einkocher.
f) Unter Berücksichtigung der Höhe 10 Minuten lang verarbeiten.
g) Gläser herausnehmen und abkühlen lassen.

15. Minz-Ananas-Marmelade

Ergibt: 10 Gläser mit einem halben Pint

ZUTATEN:

- Eine 20-Unzen-Dose zerkleinerte Ananas
- ¾ Tasse Wasser
- ¼ Tasse Zitronensaft
- 7 ½ Tassen Honig
- 10 Esslöffel zuckerfreies Pektin
- ½ Teelöffel Minzextrakt
- Ein paar Tropfen grüner Farbstoff

ANWEISUNGEN:

a) Zerkleinerte Ananas in einen Wasserkocher geben. Wasser, Zitronensaft und Honig hinzufügen. Gut umrühren.

b) Bei starker Hitze unter ständigem Rühren schnell zum Kochen bringen, sodass sich auf der gesamten Oberfläche Blasen bilden.

c) Unter ständigem Rühren 1 Minute lang hart kochen.

d) Vom Herd nehmen; Pektin, Aromaextrakt und Farbstoff hinzufügen. Überfliegen.

e) Sofort in heiße, sterile Einmachgläser füllen und dabei einen Freiraum von ¼ Zoll lassen.

f) Verschließen und 5 Minuten im kochenden Wasserbad verarbeiten.

16. Erdbeer-Rhabarber-Marmelade

Ergibt: ca. 6 Gläser (½ PT/250 ml).

ZUTATEN:

- 4½ Tassen (1,1 l) 0,5 cm dicke Scheiben frischer Rhabarber
- ½ Tasse (125 ml) frischer Orangensaft (etwa 2 bis 3 große Orangen)
- 4 Tassen reife frische Erdbeeren
- 5 Tassen (1,25 l) Zucker
- 1 (3 Unzen/88,5 ml) Beutel flüssiges Pektin

ANWEISUNGEN:

a) Rhabarber und Orangensaft in einem 3-Liter-Edelstahltopf vermischen. Abdecken und bei mittlerer Hitze zum Kochen bringen. Aufdecken, Hitze reduzieren und unter häufigem Rühren 5 Minuten köcheln lassen, bis der Rhabarber weich ist.

b) Erdbeeren waschen; Stiele und Schalen entfernen und entsorgen. Erdbeeren mit einem Kartoffelstampfer zerdrücken, bis sie gleichmäßig zerkleinert sind.

c) Messen Sie 2 Tassen gekochten Rhabarber und 1¾ Tassen (425 ml) zerdrückte Erdbeeren in einem 6-Liter-Edelstahl- oder emaillierten Dutch Oven ab. Zucker einrühren. Bringen Sie die Mischung bei starker Hitze und häufigem Rühren zum Kochen, damit sie nicht mehr umgerührt werden kann.

d) Fügen Sie Pektin hinzu und drücken Sie sofort den gesamten Inhalt aus dem Beutel. Unter ständigem Rühren 1 Minute weiter hart kochen lassen. Vom Herd nehmen. Bei Bedarf Schaum abschöpfen.

e) Heiße Marmelade in ein heißes Glas füllen und dabei einen Freiraum von 0,5 cm lassen. Luftblasen entfernen. Glasrand abwischen. Deckel auf dem Glas zentrieren. Band anlegen und handfest anziehen. Stellen Sie das Glas in einen Einkochtopf mit kochendem Wasser. Wiederholen, bis alle Gläser gefüllt sind.

f) Verarbeiten Sie die Gläser 10 Minuten lang und passen Sie sie an die Höhe an. Hitze ausschalten; Nehmen Sie den Deckel ab und lassen Sie die Gläser 5 Minuten stehen. Gläser herausnehmen und abkühlen lassen.

17. Nektarinen-Sauerkirsch-Marmelade

Ergibt: ca. 7 (½ PT/250 ml) Gläser

ZUTATEN:

- 750 g Nektarinen, entkernt und fein gehackt
- 2 Tassen gehackte entkernte Sauerkirschen
- 6 Esslöffel klassisches Pektin
- 2 Esslöffel Zitronensaft aus der Flasche
- 6 Tassen (1,5 l) Zucker

ANWEISUNGEN:

a) Kombinieren Sie die ersten 4 Zutaten in einem 4-Liter-Edelstahl- oder emaillierten Dutch Oven. Bringen Sie die Mischung bei starker Hitze und ständigem Rühren zum Kochen, sodass sie nicht mehr umgerührt werden kann.

b) Zucker hinzufügen und umrühren, bis er sich auflöst. Bringen Sie die Mischung wieder zum Kochen. Unter ständigem Rühren 1 Minute lang hart kochen. Vom Herd nehmen. Bei Bedarf Schaum abschöpfen.

c) Heiße Marmelade in ein heißes Glas füllen und dabei einen Freiraum von 0,5 cm lassen. Luftblasen entfernen. Glasrand abwischen. Deckel auf dem Glas zentrieren. Band anlegen und handfest anziehen. Stellen Sie das Glas in einen Einkochtopf mit kochendem Wasser. Wiederholen, bis alle Gläser gefüllt sind.

d) Verarbeiten Sie die Gläser 10 Minuten lang und passen Sie sie an die Höhe an. Hitze ausschalten; Nehmen Sie den Deckel ab und lassen Sie die Gläser 5 Minuten stehen. Gläser herausnehmen und abkühlen lassen.

18. Zuckerarme Erdbeer-Tequila-Agavenmarmelade

Ergibt: ca. 4 (½ PT/250 ml) Gläser

ZUTATEN:

- 5 Tassen (1,25 l) gehackte frische Erdbeeren
- ½ Tasse (125 ml) Tequila
- 5 Esslöffel (75 ml) zuckerarmes oder zuckerfreies Pektin
- 1 Tasse (250 ml) Agavensirup

ANWEISUNGEN:

a) Kombinieren Sie die ersten beiden Zutaten in einem 4-Liter-Edelstahl- oder emaillierten Dutch Oven. Beeren mit einem Kartoffelstampfer zerdrücken.
b) Pektin einrühren. Bringen Sie die Mischung bei starker Hitze und ständigem Rühren zum Kochen, sodass sie nicht mehr umgerührt werden kann.
c) Agavensirup einrühren. Bringen Sie die Mischung wieder zum Kochen. Unter ständigem Rühren 1 Minute lang hart kochen. Vom Herd nehmen. Bei Bedarf Schaum abschöpfen.
d) Heiße Marmelade in ein heißes Glas füllen und dabei einen Freiraum von 0,5 cm lassen. Luftblasen entfernen. Glasrand abwischen. Deckel auf dem Glas zentrieren. Band anlegen und handfest anziehen. Stellen Sie das Glas in einen Einkochtopf mit kochendem Wasser. Wiederholen, bis alle Gläser gefüllt sind.
e) Verarbeiten Sie die Gläser 10 Minuten lang und passen Sie sie an die Höhe an. Hitze ausschalten; Nehmen Sie den Deckel ab und lassen Sie die Gläser 5 Minuten stehen. Gläser herausnehmen und abkühlen lassen.

19. Schokoladen-Kirsch-Marmelade

Ergibt: ca. 6 Gläser (½ PT/250 ml).

ZUTATEN:

- 6 Tassen (1,5 l) frische oder gefrorene entkernte dunkle Süßkirschen, grob gehackt
- 6 Esslöffel klassisches Pektin
- ¼ Tasse (60 ml) Zitronensaft aus der Flasche
- 6 Tassen (1,5 l) Zucker
- ⅔ Tasse (150 ml) ungesüßter Kakao

ANWEISUNGEN:

a) Kombinieren Sie die ersten drei Zutaten in einem 4-Liter-Edelstahl- oder emaillierten Dutch Oven. Bringen Sie die Mischung bei starker Hitze und ständigem Rühren zum Kochen, sodass sie nicht mehr umgerührt werden kann.

b) In der Zwischenzeit Zucker und Kakao verrühren, bis eine Mischung entsteht. Alles auf einmal zur kochenden Kirschmischung geben. Bringen Sie die Mischung wieder zum Kochen. Unter ständigem Rühren 1 Minute lang hart kochen. Vom Herd nehmen. Bei Bedarf Schaum abschöpfen.

c) Heiße Marmelade in ein heißes Glas füllen und dabei einen Freiraum von 0,5 cm lassen. Luftblasen entfernen. Glasrand abwischen. Deckel auf dem Glas zentrieren. Band anlegen und handfest anziehen. Stellen Sie das Glas in einen Einkochtopf mit kochendem Wasser. Wiederholen, bis alle Gläser gefüllt sind.

d) Verarbeiten Sie die Gläser 10 Minuten lang und passen Sie sie an die Höhe an. Hitze ausschalten; Nehmen Sie den Deckel ab und lassen Sie die Gläser 5 Minuten stehen. Gläser herausnehmen und abkühlen lassen.

20. Orangen-Bananen-Marmelade

Ergibt: ca. 5 (½ PT/250 ml) Gläser

ZUTATEN:

- 2 Tassen frischer Orangensaft mit Fruchtfleisch (ca. 8 Orangen)
- 1 Tasse (250 ml) Honig
- 3 Esslöffel (45 ml) abgefüllter Zitronensaft
- 2 Pfund (1 kg) sehr reife Bananen, geschält und gehackt
- 1 Vanilleschote, geteilt

ANWEISUNGEN:

a) Kombinieren Sie die ersten 4 Zutaten in einem 4-Liter-Edelstahl- oder emaillierten Dutch Oven. Kratzen Sie die Samen von der Vanilleschote ab; zur Bananenmischung hinzufügen. Unter häufigem Rühren bei mittlerer Hitze etwa 25 Minuten kochen, bis der Gelierpunkt erreicht ist.

b) Heiße Marmelade in ein heißes Glas füllen und dabei einen Freiraum von 0,5 cm lassen. Luftblasen entfernen. Glasrand abwischen. Deckel auf dem Glas zentrieren. Band anlegen und handfest anziehen. Stellen Sie das Glas in einen Einkochtopf mit kochendem Wasser. Wiederholen, bis alle Gläser gefüllt sind.

c) Verarbeiten Sie die Gläser 15 Minuten lang und passen Sie sie an die Höhe an. Hitze ausschalten; Nehmen Sie den Deckel ab und lassen Sie die Gläser 5 Minuten stehen. Gläser herausnehmen und abkühlen lassen.

21. Aprikosen-Lavendel-Marmelade

Ergibt: ca. 6 Gläser (½ PT/250 ml).

ZUTATEN:

- 4 Teelöffel (20 ml) getrocknete Lavendelknospen
- Käsetuch
- Küchenschnur
- 3 Pfund Aprikosen, entkernt und gehackt (ca. 6 Tassen/1,5 l)
- 4 Tassen Zucker
- 3 Esslöffel (45 ml) abgefüllter Zitronensaft

ANWEISUNGEN:

a) Legen Sie die Lavendelknospen auf ein 10 cm großes Stück Käsetuch. Mit Küchengarn binden.

b) Aprikosen in eine große Schüssel geben; Mit einem Kartoffelstampfer zerdrücken, bis alles zerkleinert ist. Zucker und Zitronensaft einrühren; Fügen Sie einen Käsetuchbeutel hinzu und rühren Sie, bis er feucht ist. Abdecken und 4 Stunden oder über Nacht kalt stellen.

c) Gießen Sie die Aprikosenmischung in einen 6-Liter-Edelstahl- oder emaillierten Dutch Oven. Bei mittlerer Hitze zum Kochen bringen und umrühren, bis sich der Zucker auflöst. Erhöhen Sie die Hitze auf mittelhoch. Unter ständigem Rühren 45 Minuten kochen lassen oder bis die Mischung eingedickt ist und ein Zuckerthermometer 220 °F (104 °C) anzeigt. Vom Herd nehmen. Entfernen Sie den Käsetuchbeutel und entsorgen Sie ihn.

d) Heiße Marmelade in ein heißes Glas füllen und dabei einen Freiraum von 0,5 cm lassen. Luftblasen entfernen. Glasrand abwischen. Deckel auf dem Glas zentrieren. Band anlegen und handfest anziehen. Stellen Sie das Glas in einen Einkochtopf mit kochendem Wasser. Wiederholen, bis alle Gläser gefüllt sind.

e) Verarbeiten Sie die Gläser 10 Minuten lang und passen Sie sie an die Höhe an. Hitze ausschalten; Nehmen Sie den Deckel ab und lassen Sie die Gläser 5 Minuten stehen. Gläser herausnehmen und abkühlen lassen.

22. Feigen-Birnen-Marmelade

Ergibt: ca. 4 (½ PT/250 ml) Gläser

ZUTATEN:

- 2 Tassen (250 ml) gehackte Birnen
- 2 Tassen (250 ml) gehackte frische Feigen
- 4 Esslöffel (60 ml) klassisches Pektin
- 2 Esslöffel Zitronensaft aus der Flasche
- 1 Esslöffel (15 ml) Wasser
- 3 Tassen (750 ml) Zucker

ANWEISUNGEN:

a) Alle Zutaten außer Zucker in einem 4-Liter-Edelstahl- oder emaillierten Schmortopf vermischen. Bringen Sie die Mischung bei starker Hitze und ständigem Rühren zum Kochen, sodass sie nicht mehr umgerührt werden kann.

b) Zucker hinzufügen und umrühren, bis er sich auflöst. Bringen Sie die Mischung wieder zum Kochen. Unter ständigem Rühren 1 Minute lang hart kochen. Vom Herd nehmen. Bei Bedarf Schaum abschöpfen.

c) Heiße Marmelade in ein heißes Glas füllen und dabei einen Freiraum von 0,5 cm lassen. Glasrand abwischen. Deckel auf dem Glas zentrieren. Band anlegen und handfest anziehen. Stellen Sie das Glas in einen Einkochtopf mit kochendem Wasser. Wiederholen, bis alle Gläser gefüllt sind.

d) Verarbeiten Sie die Gläser 10 Minuten lang und passen Sie sie an die Höhe an. Hitze ausschalten; Nehmen Sie den Deckel ab und lassen Sie die Gläser 5 Minuten stehen. Gläser herausnehmen und abkühlen lassen.

23. Feigen-, Rosmarin- und Rotweinmarmelade

Ergibt: ca. 4 (½ PT/250 ml) Gläser

ZUTATEN:

- 1½ Tassen (375 ml) Merlot oder ein anderer fruchtiger Rotwein
- 2 Esslöffel frische Rosmarinblätter
- 2 Tassen fein gehackte frische Feigen
- 3 Esslöffel (45 ml) klassisches Pektin
- 2 Esslöffel Zitronensaft aus der Flasche
- 2½ Tassen (625 ml) Zucker

ANWEISUNGEN:

a) Wein und Rosmarin in einem kleinen Topf aus Edelstahl oder Emaille zum Kochen bringen. Hitze ausschalten; abdecken und 30 Minuten ziehen lassen.

b) Gießen Sie den Wein durch ein feines Drahtsieb in einen 4-Liter-Topf aus Edelstahl oder Emaille. Rosmarin wegwerfen. Feigen, Pektin und Zitronensaft unterrühren. Bringen Sie die Mischung bei starker Hitze und ständigem Rühren zum Kochen, sodass sie nicht mehr umgerührt werden kann.

c) Zucker hinzufügen und umrühren, bis er sich auflöst. Bringen Sie die Mischung wieder zum Kochen. Unter ständigem Rühren 1 Minute lang hart kochen. Vom Herd nehmen. Bei Bedarf Schaum abschöpfen.

d) Heiße Marmelade in ein heißes Glas füllen und dabei einen Freiraum von 0,5 cm lassen. Luftblasen entfernen. Glasrand abwischen. Deckel auf dem Glas zentrieren. Band anlegen und handfest anziehen. Stellen Sie das Glas in einen Einkochtopf mit kochendem Wasser. Wiederholen, bis alle Gläser gefüllt sind.

e) Verarbeiten Sie die Gläser 10 Minuten lang und passen Sie sie an die Höhe an. Hitze ausschalten; Nehmen Sie den Deckel ab und lassen Sie die Gläser 5 Minuten stehen. Gläser herausnehmen und abkühlen lassen.

24. Melonenmarmelade

Ergibt: ca. 5 (½ PT/250 ml) Gläser

ZUTATEN:

- 14 Tassen (3,5 l) 1 Zoll (1 cm) große Melonenwürfel oder andere orangefarbene Melonenwürfel (ca. 2 große Melonen)
- ¼ Tasse (60 ml) koscheres Salz
- 4 Tassen Zucker
- ¾ Tasse (175 ml) Zitronensaft aus der Flasche
- 1 Esslöffel (15 ml) zerstoßene rosa Pfefferkörner (optional)

ANWEISUNGEN:

a) Melone und Salz in einer großen Schüssel vermengen. Abdecken und 2 Stunden stehen lassen. Abfluss; Mit kaltem Wasser abspülen. Abfluss.

b) Melone, Zucker und Zitronensaft in einem 6-Liter-Edelstahl- oder emaillierten Schmortopf verrühren. Zum Kochen bringen; Hitze reduzieren und ohne Deckel 20 Minuten köcheln lassen, bis die Melone weich ist. Melonenstücke mit einem Kartoffelstampfer zerdrücken. Ohne Deckel unter häufigem Rühren ca. 1 Stunde köcheln lassen, bis der Gelierpunkt erreicht ist. (Melonen geben viel Wasser ab, daher kann die Garzeit variieren.) Bei Bedarf Schaum abschöpfen und nach Belieben Pfefferkörner unterrühren.

c) Heiße Marmelade in ein heißes Glas füllen und dabei einen Freiraum von 0,5 cm lassen. Luftblasen entfernen. Glasrand abwischen. Deckel auf dem Glas zentrieren. Band anlegen und handfest anziehen. Stellen Sie das Glas in einen Einkochtopf mit kochendem Wasser. Wiederholen, bis alle Gläser gefüllt sind.

d) Verarbeiten Sie die Gläser 15 Minuten lang und passen Sie sie an die Höhe an. Hitze ausschalten; Nehmen Sie den Deckel ab und lassen Sie die Gläser 5 Minuten stehen. Gläser herausnehmen und abkühlen lassen.

25. Pfirsich-Rosmarin-Marmelade

Ergibt: ca. 6 (½ PT/250 ml) Gläser

ZUTATEN:

- 2½ Pfund (1,25 kg) frische Pfirsiche (5 große)
- 1 Teelöffel Limettenschale
- 6 Esslöffel klassisches Pektin
- ¼ Tasse (60 ml) frischer Limettensaft (ca. 3 Limetten)
- 2 (10 cm) Rosmarinzweige
- 5 Tassen (1,25 l) Zucker

ANWEISUNGEN:

a) Pfirsiche mit einem Gemüseschäler schälen. Kerne entfernen und grob hacken. Mit einem Kartoffelstampfer zerdrücken, bis die Masse gleichmäßig zerkleinert ist. Geben Sie 4 Tassen zerdrückte Pfirsiche in einen 6-Liter-Edelstahl- oder emaillierten Schmortopf. Limettenschale und die nächsten 3 Zutaten unterrühren.
b) Bringen Sie die Mischung bei starker Hitze und ständigem Rühren zum Kochen, sodass sie nicht mehr umgerührt werden kann. Unter ständigem Rühren 1 Minute kochen lassen.
c) Zucker hinzufügen und umrühren, bis er sich auflöst. Bringen Sie die Mischung wieder zum Kochen. Unter ständigem Rühren 1 Minute lang hart kochen. Vom Herd nehmen. Rosmarin entfernen und entsorgen. Bei Bedarf Schaum abschöpfen.
d) Heiße Marmelade in ein heißes Glas füllen und dabei einen Freiraum von 0,5 cm lassen. Luftblasen entfernen. Glasrand abwischen. Deckel auf dem Glas zentrieren. Band anlegen und handfest anziehen. Stellen Sie das Glas in einen Einkochtopf mit kochendem Wasser. Wiederholen, bis alle Gläser gefüllt sind.
e) Verarbeiten Sie die Gläser 10 Minuten lang und passen Sie sie an die Höhe an. Hitze ausschalten; Nehmen Sie den Deckel ab und lassen Sie die Gläser 5 Minuten stehen. Gläser herausnehmen und abkühlen lassen.

26. Honig-Birnen-Marmelade

Ergibt: ca. 5 (½ PT/250 ml) Gläser

ZUTATEN:

- 3¼ Pfund. feste, reife Birnen
- ½ Tasse (125 ml) Apfelsaft
- 1 Esslöffel (15 ml) Zitronensaft aus der Flasche
- ½ Teelöffel (2,5 ml) gemahlener Zimt
- 1 Stück frischer Ingwer, geschält und fein gerieben
- 6 Esslöffel zuckerarmes oder zuckerfreies Pektin
- ½ Tasse (125 ml) Honig

ANWEISUNGEN:

a) Kombinieren Sie die ersten 5 Zutaten in einem 6-Liter-Edelstahl- oder emaillierten Schmortopf. Ohne Deckel bei mittlerer Hitze 15 Minuten kochen, bis die Birne weich ist, dabei gelegentlich umrühren. Die Birnenmischung mit einem Kartoffelstampfer leicht zerdrücken und große Stücke zerkleinern.

b) Pektin einrühren. Bringen Sie die Mischung bei starker Hitze und ständigem Rühren zum Kochen, sodass sie nicht mehr umgerührt werden kann.

c) Honig einrühren. Bringen Sie die Mischung wieder zum Kochen. Unter ständigem Rühren 1 Minute lang hart kochen. Vom Herd nehmen. Bei Bedarf Schaum abschöpfen.

d) Heiße Marmelade in ein heißes Glas füllen und dabei einen Freiraum von 0,5 cm lassen. Luftblasen entfernen. Glasrand abwischen. Deckel auf dem Glas zentrieren. Band anlegen und handfest anziehen. Stellen Sie das Glas in einen Einkochtopf mit kochendem Wasser. Wiederholen, bis alle Gläser gefüllt sind.

e) Verarbeiten Sie die Gläser 10 Minuten lang und passen Sie sie an die Höhe an. Hitze ausschalten; Nehmen Sie den Deckel ab und lassen Sie die Gläser 5 Minuten stehen. Gläser herausnehmen und abkühlen lassen.

27. Apfelkuchenmarmelade

Ergibt: ca. 5 (½ PT/250 ml) Gläser

ZUTATEN:

- 6 Tassen (1,5 l) gewürfelter, geschälter Granny-Smith-Apfel (ca. 6 Äpfel)
- 2 Tassen Apfelsaft oder Apfelwein
- 2 Esslöffel Zitronensaft aus der Flasche
- 3 Esslöffel (45 ml) klassisches Pektin
- 1 Teelöffel gemahlener Zimt
- ½ Teelöffel (2 ml) gemahlener Piment
- ¼ Teelöffel (1 ml) gemahlene Muskatnuss
- 2 Tassen Zucker

ANWEISUNGEN:

a) Die ersten drei Zutaten in einem 6-Liter-Edelstahl- oder emaillierten Schmortopf zum Kochen bringen; Hitze reduzieren und ohne Deckel 10 Minuten köcheln lassen, bis der Apfel weich ist, dabei gelegentlich umrühren.

b) Pektin und die nächsten 3 Zutaten unterrühren. Bringen Sie die Mischung bei starker Hitze und ständigem Rühren zum Kochen, sodass sie nicht mehr umgerührt werden kann.

c) Zucker hinzufügen und umrühren, bis er sich auflöst. Bringen Sie die Mischung wieder zum Kochen. Unter ständigem Rühren 1 Minute lang hart kochen. Vom Herd nehmen. Bei Bedarf Schaum abschöpfen.

d) Heiße Marmelade in ein heißes Glas füllen und dabei einen Freiraum von 0,5 cm lassen. Luftblasen entfernen. Glasrand abwischen. Deckel auf dem Glas zentrieren. Band anlegen und handfest anziehen. Stellen Sie das Glas in einen Einkochtopf mit kochendem Wasser. Wiederholen, bis alle Gläser gefüllt sind.

e) Verarbeiten Sie die Gläser 10 Minuten lang und passen Sie sie an die Höhe an. Hitze ausschalten; Nehmen Sie den Deckel ab und lassen Sie die Gläser 5 Minuten stehen. Gläser herausnehmen und abkühlen lassen.

28. Pfirsich-Bourbon-Marmelade

Ergibt: ca. 6 Gläser (½ PT/250 ml).

ZUTATEN:

- 2 kg frische Pfirsiche, geschält
- 6 Esslöffel klassisches Pektin
- ¼ Tasse (60 ml) Zitronensaft aus der Flasche
- ¼ Tasse (60 ml) Bourbon
- 2 Esslöffel fein gehackter kristallisierter Ingwer
- 7 Tassen (1,75 l) Zucker

ANWEISUNGEN:

a) Pfirsiche entkernen und grob hacken. Geben Sie 4½ Tassen (1,1 l) gehackte Pfirsiche in einen 6-Liter-Edelstahl- oder emaillierten Schmortopf und zerstampfen Sie sie mit einem Kartoffelstampfer, bis sie gleichmäßig zerkleinert sind. Pektin und die nächsten 3 Zutaten unterrühren.

b) Bringen Sie die Mischung bei starker Hitze und ständigem Rühren zum Kochen, sodass sie nicht mehr umgerührt werden kann.

c) Zucker hinzufügen und umrühren, bis er sich auflöst. Bringen Sie die Mischung wieder zum Kochen. Unter ständigem Rühren 1 Minute lang hart kochen. Vom Herd nehmen. Bei Bedarf Schaum abschöpfen.

d) Heiße Marmelade in ein heißes Glas füllen und dabei einen Freiraum von 0,5 cm lassen. Luftblasen entfernen. Glasrand abwischen. Deckel auf dem Glas zentrieren. Band anlegen und handfest anziehen. Stellen Sie das Glas in einen Einkochtopf mit kochendem Wasser. Wiederholen, bis alle Gläser gefüllt sind.

e) Verarbeiten Sie die Gläser 10 Minuten lang und passen Sie sie an die Höhe an. Hitze ausschalten; Nehmen Sie den Deckel ab und lassen Sie die Gläser 5 Minuten stehen. Gläser herausnehmen und abkühlen lassen.

29. Zuckerarme Himbeer-Limonaden-Marmelade

Ergibt: ca. 6 Gläser (½ PT/250 ml).

ZUTATEN:

- 1,6 kg frische Himbeeren
- ½ Tasse (125 ml) frischer Zitronensaft (ca. 5 Zitronen)
- 4 Esslöffel (60 ml) zuckerarmes oder zuckerfreies Pektin
- 1½ Tassen (375 ml) Honig

ANWEISUNGEN:

a) Geben Sie die Himbeeren in einen 6-Liter-Edelstahl- oder emaillierten Schmortopf. Himbeeren mit einem Kartoffelstampfer zerdrücken.

b) Zitronensaft und Pektin einrühren. Bringen Sie die Mischung bei starker Hitze und ständigem Rühren zum Kochen, sodass sie nicht mehr umgerührt werden kann.

c) Honig einrühren. Bringen Sie die Mischung wieder zum Kochen. Unter ständigem Rühren 1 Minute lang hart kochen. Vom Herd nehmen. Bei Bedarf Schaum abschöpfen.

d) Heiße Marmelade in ein heißes Glas füllen und dabei einen Freiraum von 0,5 ml lassen. Luftblasen entfernen. Glasrand abwischen. Deckel auf dem Glas zentrieren. Band anlegen und handfest anziehen. Stellen Sie das Glas in einen Einkochtopf mit kochendem Wasser. Wiederholen, bis alle Gläser gefüllt sind.

e) Verarbeiten Sie die Gläser 10 Minuten lang und passen Sie sie an die Höhe an. Hitze ausschalten; Nehmen Sie den Deckel ab und lassen Sie die Gläser 5 Minuten stehen. Gläser herausnehmen und abkühlen lassen.

30. Tomaten-Kräuter-Marmelade

Ergibt: ca. 4 (½ PT/250 ml) Gläser

ZUTATEN:

- 3 kg Pflaumentomaten, entkernt und gehackt
- 1 Teelöffel Salz
- ½ Teelöffel (2 ml) frisch gemahlener schwarzer Pfeffer
- 3 Knoblauchzehen, gehackt
- 2 Lorbeerblätter
- 1½ Tassen (375 ml) Zucker
- ½ Tasse (125 ml) Balsamico-Essig
- ¼ Tasse (60 ml) trockener Weißwein
- 2 Teelöffel (10 ml) Kräuter der Provence

ANWEISUNGEN:

a) Kombinieren Sie die ersten 5 Zutaten in einem 6-Liter-Edelstahl- oder emaillierten Schmortopf. Ohne Deckel bei mittlerer bis hoher Hitze 1 Stunde kochen lassen oder bis die Menge auf die Hälfte reduziert ist, dabei häufig umrühren.

b) Zucker und die nächsten 3 Zutaten einrühren. Ohne Deckel bei mittlerer Hitze 45 Minuten kochen, bis eine sehr dicke Masse entsteht, dabei gelegentlich umrühren. Lorbeerblätter entfernen und wegwerfen.

c) Heiße Marmelade in ein heißes Glas schöpfen und dabei einen Freiraum von 0,5 ml lassen. Luftblasen entfernen. Glasrand abwischen. Deckel auf dem Glas zentrieren. Band anlegen und handfest anziehen. Stellen Sie das Glas in einen Einkochtopf mit kochendem Wasser. Wiederholen, bis alle Gläser gefüllt sind.

d) Verarbeiten Sie die Gläser 10 Minuten lang und passen Sie sie an die Höhe an. Hitze ausschalten; Nehmen Sie den Deckel ab und lassen Sie die Gläser 5 Minuten stehen. Gläser herausnehmen und abkühlen lassen.

31. Zucchini-Brot-Marmelade

Ergibt: ca. 4 (½ PT/250 ml) Gläser

ZUTATEN:

- 4 Tassen geriebene Zucchini
- 1 Tasse (250 ml) Apfelsaft
- 6 Esslöffel klassisches Pektin
- ¼ Tasse (60 ml) goldene Rosinen
- 1 Esslöffel (15 ml) Zitronensaft aus der Flasche
- 1 Teelöffel gemahlener Zimt
- ½ Teelöffel (2 ml) gemahlene Muskatnuss
- 3 Tassen (750 ml) Zucker

ANWEISUNGEN:

a) Alle Zutaten außer Zucker in einem 6-Liter-Edelstahl- oder emaillierten Schmortopf vermischen. Bringen Sie die Mischung bei starker Hitze und ständigem Rühren zum Kochen, sodass sie nicht mehr umgerührt werden kann.

b) Zucker hinzufügen und umrühren, bis er sich auflöst. Bringen Sie die Mischung wieder zum Kochen. Unter ständigem Rühren 1 Minute lang hart kochen. Vom Herd nehmen. Bei Bedarf Schaum abschöpfen.

c) Heiße Marmelade in ein heißes Glas füllen und dabei einen Freiraum von 0,5 cm lassen. Luftblasen entfernen. Glasrand abwischen. Deckel auf dem Glas zentrieren. Band anlegen und handfest anziehen. Stellen Sie das Glas in einen Einkochtopf mit kochendem Wasser. Wiederholen, bis alle Gläser gefüllt sind.

d) Verarbeiten Sie die Gläser 15 Minuten lang und passen Sie sie an die Höhe an. Hitze ausschalten; Nehmen Sie den Deckel ab und lassen Sie die Gläser 5 Minuten stehen. Gläser herausnehmen und abkühlen lassen.

32. Beeren-Ale-Marmelade

Ergibt: ca. 6 Gläser (½ PT/250 ml).

ZUTATEN:

- 2 Tassen Himbeeren, Blaubeeren oder Erdbeeren
- 2 Flaschen flaches Pale Ale
- 6 Esslöffel klassisches Pektin
- 1 Teelöffel Zitronenschale
- 2 Esslöffel frischer Zitronensaft
- 4 Tassen Zucker

ANWEISUNGEN:

a) Legen Sie die Beeren in einen 6-Liter-Edelstahl- oder emaillierten Schmortopf. Beeren mit einem Kartoffelstampfer zerdrücken. Bier und die nächsten 3 Zutaten einrühren. Bringen Sie die Mischung bei starker Hitze und ständigem Rühren zum Kochen, sodass sie nicht mehr umgerührt werden kann.

b) Zucker hinzufügen und umrühren, bis er sich auflöst. Bringen Sie die Mischung wieder zum Kochen. Unter ständigem Rühren 1 Minute lang hart kochen. Vom Herd nehmen. Bei Bedarf Schaum abschöpfen.

c) Heiße Marmelade in ein heißes Glas füllen und dabei einen Freiraum von 0,5 cm lassen. Luftblasen entfernen. Glasrand abwischen. Deckel auf dem Glas zentrieren. Band anlegen und handfest anziehen. Stellen Sie das Glas in einen Einkochtopf mit kochendem Wasser. Wiederholen, bis alle Gläser gefüllt sind.

d) Verarbeiten Sie die Gläser 10 Minuten lang und passen Sie sie an die Höhe an. Hitze ausschalten; Nehmen Sie den Deckel ab und lassen Sie die Gläser 5 Minuten stehen. Gläser herausnehmen und abkühlen lassen.

33. Zuckerarme Apfel-Chili-Marmelade

Ergibt: ca. 5 (½ PT/250 ml) Gläser

ZUTATEN:

- 2 große Äpfel (je ca. 480 g), geschält und gerieben
- 3 Esslöffel (45 ml) abgefüllter Zitronensaft
- 4 Tassen Apfelsaft
- 3 Esslöffel (45 ml) zuckerarmes oder zuckerfreies Pektin
- 1 Esslöffel (15 ml) zerstoßener Chili de árbol oder getrockneter, zerstoßener roter Pfeffer
- ½ Tasse (125 ml) Zucker
- ½ Tasse (125 ml) Honig

ANWEISUNGEN:

a) Kombinieren Sie geriebenen Apfel und Zitronensaft in einem 4-Liter-Edelstahl- oder emaillierten Dutch Oven. Unter ständigem Rühren 10 Minuten kochen, bis der Apfel weich ist.

b) Apfelsaft, Pektin und zerstoßenes Chili de árbol unterrühren. Bringen Sie die Mischung bei starker Hitze und ständigem Rühren zum Kochen, sodass sie nicht mehr umgerührt werden kann.

c) Zucker und Honig hinzufügen und umrühren, um den Zucker aufzulösen. Bringen Sie die Mischung wieder zum Kochen. Unter ständigem Rühren 1 Minute lang hart kochen. Vom Herd nehmen. Bei Bedarf Schaum abschöpfen.

d) Heiße Marmelade in ein heißes Glas füllen und dabei einen Freiraum von 0,5 cm lassen. Luftblasen entfernen. Glasrand abwischen. Deckel auf dem Glas zentrieren. Band anlegen und handfest anziehen. Stellen Sie das Glas in einen Einkochtopf mit kochendem Wasser. Wiederholen, bis alle Gläser gefüllt sind.

e) Verarbeiten Sie die Gläser 10 Minuten lang und passen Sie sie an die Höhe an. Hitze ausschalten; Nehmen Sie den Deckel ab und lassen Sie die Gläser 5 Minuten stehen. Gläser herausnehmen und abkühlen lassen.

34. Balsamico-Zwiebelmarmelade

Ergibt: ca. 5 (½ PT/250 ml) Gläser

ZUTATEN:

- 2 Pfund (1 kg) Zwiebeln, gewürfelt
- ½ Tasse (125 ml) Balsamico-Essig
- ½ Tasse (125 ml) Ahornsirup
- 1½ Teelöffel (7,5 ml) Salz
- 2 Teelöffel (10 ml) gemahlener weißer Pfeffer
- 1 Lorbeerblatt
- 2 Tassen Apfelsaft
- 3 Esslöffel (45 ml) zuckerarmes oder zuckerfreies Pektin
- ½ Tasse (125 ml) Zucker

ANWEISUNGEN:

a) Kombinieren Sie die ersten 6 Zutaten in einem 6-Liter-Edelstahl- oder emaillierten Schmortopf. Bei mittlerer Hitze 15 Minuten kochen oder bis die Zwiebeln glasig sind, dabei gelegentlich umrühren.

b) Apfelsaft und Pektin unterrühren. Bringen Sie die Mischung bei starker Hitze und ständigem Rühren zum Kochen, sodass sie nicht mehr umgerührt werden kann.

c) Zucker hinzufügen und umrühren, bis er sich auflöst. Bringen Sie die Mischung wieder zum Kochen. Unter ständigem Rühren 1 Minute lang hart kochen. Vom Herd nehmen. Lorbeerblatt entfernen und wegwerfen. Bei Bedarf Schaum abschöpfen.

d) Heiße Marmelade in ein heißes Glas füllen und dabei einen Freiraum von 0,5 cm lassen. Luftblasen entfernen. Glasrand abwischen. Deckel auf dem Glas zentrieren. Band anlegen und handfest anziehen. Stellen Sie das Glas in einen Einkochtopf mit kochendem Wasser. Wiederholen, bis alle Gläser gefüllt sind.

e) Verarbeiten Sie die Gläser 15 Minuten lang und passen Sie sie an die Höhe an. Hitze ausschalten; Nehmen Sie den Deckel ab und lassen Sie die Gläser 5 Minuten stehen. Gläser herausnehmen und abkühlen lassen.

35. Blaubeer-Zitronen-Marmelade

Ergibt: ca. 4 (½ PT/250 ml) Gläser

ZUTATEN:

- 4 Tassen frische Blaubeeren
- 3½ Tassen (1,6 l) Zucker
- 1 Teelöffel Zitronenschale
- 1 Esslöffel (15 ml) frischer Zitronensaft
- 1 (3 Unzen/88,5 ml) Beutel flüssiges Pektin

ANWEISUNGEN:

a) Blaubeeren waschen, abtropfen lassen und mit einem Löffel leicht zerdrücken (gerade so viel, dass die Schalen aufplatzen). Geben Sie 2½ Tassen (625 ml) zerstoßene Blaubeeren in einen 6-Liter-Edelstahl- oder emaillierten Schmortopf.

b) Zucker und die nächsten 2 Zutaten hinzufügen. Bringen Sie die Mischung bei starker Hitze und ständigem Rühren zum Kochen, sodass sie nicht mehr umgerührt werden kann.

c) Fügen Sie Pektin hinzu und drücken Sie sofort den gesamten Inhalt aus dem Beutel. Unter ständigem Rühren 1 Minute weiter hart kochen lassen. Vom Herd nehmen. Bei Bedarf Schaum abschöpfen.

d) Füllen Sie die heiße Mischung in ein heißes Glas und lassen Sie dabei einen Freiraum von 0,5 cm frei. Luftblasen entfernen. Glasrand abwischen. Deckel auf dem Glas zentrieren. Band anlegen und handfest anziehen. Stellen Sie das Glas in einen Einkochtopf mit kochendem Wasser. Wiederholen, bis alle Gläser gefüllt sind.

e) Verarbeiten Sie die Gläser 10 Minuten lang und passen Sie sie an die Höhe an. Hitze ausschalten; Nehmen Sie den Deckel ab und lassen Sie die Gläser 5 Minuten stehen. Gläser herausnehmen und abkühlen lassen.

36. Apfelmarmelade

ZUTATEN:

- 2 Tassen geschälte, entkernte und gehackte Birnen
- 1 Tasse geschälte, entkernte und gehackte Äpfel
- 6½ Tassen Zucker
- ¼ Teelöffel gemahlener Zimt
- ⅓ Tasse Zitronensaft aus der Flasche
- 6 Unzen flüssiges Pektin

ANWEISUNGEN:

a) Äpfel und Birnen in einem großen Topf zerdrücken und Zimt unterrühren.

b) Zucker und Zitronensaft gründlich mit den Früchten vermischen und bei starker Hitze unter ständigem Rühren zum Kochen bringen. Pektin sofort einrühren. Zum Kochen bringen und unter ständigem Rühren 1 Minute lang kräftig kochen lassen.

c) Vom Herd nehmen, Schaum schnell abschöpfen und sterile Gläser mit einem Freiraum von ¼ Zoll füllen. Wischen Sie die Ränder der Gläser mit einem feuchten, sauberen Papiertuch ab.

d) Deckel anpassen und verarbeiten.

37. Erdbeer-Rhabarber-Gelee

ZUTATEN:

- 1½ Pfund rote Rhabarberstangen
- 1½ Liter reife Erdbeeren
- ½ Teelöffel Butter oder Margarine, um die Schaumbildung zu reduzieren
- 6 Tassen Zucker
- 6 Unzen flüssiges Pektin

ANWEISUNGEN:

a) Rhabarber waschen, in 2,5 cm große Stücke schneiden und pürieren oder mahlen. Erdbeeren Schicht für Schicht in einem Topf waschen, entstielen und zerdrücken.

b) Legen Sie beide Früchte in einen Geleebeutel oder eine doppelte Lage Käsetuch und drücken Sie den Saft vorsichtig aus. 3 ½ Tassen Saft in einen großen Topf geben. Butter und Zucker hinzufügen und gründlich mit dem Saft vermischen.

c) Bei starker Hitze unter ständigem Rühren zum Kochen bringen. Pektin sofort einrühren. Zum Kochen bringen und unter ständigem Rühren 1 Minute lang kräftig kochen lassen.

d) Vom Herd nehmen, Schaum schnell abschöpfen und sterile Gläser füllen, dabei einen Freiraum von ¼ Zoll lassen. Wischen Sie die Ränder der Gläser mit einem feuchten, sauberen Papiertuch ab.

e) Deckel anpassen und verarbeiten.

38. Blaubeer-Gewürz-Marmelade

ZUTATEN:

- 2 ½ Pints reife Blaubeeren
- 1 Esslöffel Zitronensaft
- ½ Teelöffel gemahlene Muskatnuss oder Zimt
- 5 ½ Tassen Zucker
- ¾ Tasse Wasser
- 1 Schachtel (1-¾ Unzen) pulverisiertes Pektin

ANWEISUNGEN:

a) Blaubeeren waschen und Schicht für Schicht in einem Topf gründlich zerdrücken. Zitronensaft, Gewürze und Wasser hinzufügen. Pektin einrühren und bei starker Hitze unter häufigem Rühren zum Kochen bringen.
b) Den Zucker hinzufügen und erneut zum Kochen bringen. Unter ständigem Rühren 1 Minute lang hart kochen.
c) Vom Herd nehmen, Schaum schnell abschöpfen und sterile Gläser füllen, dabei einen Freiraum von ¼ Zoll lassen. Wischen Sie die Ränder der Gläser mit einem feuchten, sauberen Papiertuch ab.
d) Deckel anpassen und verarbeiten.

39. Trauben-Pflaumen-Gelee

ZUTATEN:

- 3,5 Pfund reife Pflaumen
- 3 Pfund reife Concord-Trauben
- 1 Tasse Wasser
- ½ Teelöffel Butter oder Margarine, um die Schaumbildung zu reduzieren (optional)
- 8-½ Tassen Zucker
- 1 Schachtel (1-¾ Unzen) pulverisiertes Pektin

ANWEISUNGEN:

a) Pflaumen waschen und entkernen; nicht schälen. Pflaumen und Weintrauben Schicht für Schicht in einem Topf mit Wasser gründlich zerdrücken. Zum Kochen bringen, abdecken und 10 Minuten köcheln lassen.

b) Den Saft durch einen Plastikbeutel oder eine doppelte Lage Käsetuch abseihen. Zucker abmessen und beiseite stellen.

c) Kombinieren Sie 6 ½ Tassen Saft mit Butter und Pektin in einem großen Topf. Bei starker Hitze unter ständigem Rühren zum Kochen bringen. Den Zucker hinzufügen und erneut zum Kochen bringen. Unter ständigem Rühren 1 Minute lang hart kochen.

d) Vom Herd nehmen, Schaum schnell abschöpfen und sterile Gläser füllen, dabei einen Freiraum von ¼ Zoll lassen. Wischen Sie die Ränder der Gläser mit einem feuchten, sauberen Papiertuch ab.

e) Deckel anpassen und verarbeiten.

40. Goldenes Pfeffergelee

ZUTATEN:

- 5 Tassen gehackte gelbe Paprika
- ½ Tasse gehackte Serrano-Chilischoten
- 1½ Tassen weißer destillierter Essig (5%)
- 5 Tassen Zucker
- 1 Beutel (3 Unzen) flüssiges Pektin

ANWEISUNGEN:

a) Alle Paprika gründlich waschen; Stiele und Kerne von den Paprikaschoten entfernen. Geben Sie süße und scharfe Paprika in einen Mixer oder eine Küchenmaschine.

b) So viel Essig hinzufügen, dass die Paprika püriert werden, dann pürieren. Das Pfeffer-Essig-Püree und den restlichen Essig in einen 8- oder 10-Liter-Topf geben. Zum Kochen bringen; Dann 10 Minuten kochen lassen, um Aromen und Farbe zu extrahieren.

c) Vom Herd nehmen und durch einen Geleebeutel in eine Schüssel abseihen. (Bevorzugt ist der Zipfelbeutel; es können auch mehrere Lagen Käsetuch verwendet werden.)

d) Messen Sie 2 ¼ Tassen des passierten Pfeffer-Essig-Safts ab und geben Sie ihn zurück in den Topf. Den Zucker einrühren, bis er sich aufgelöst hat, und die Mischung erneut zum Kochen bringen. Fügen Sie das Pektin hinzu, bringen Sie es wieder zum Kochen und kochen Sie es unter ständigem Rühren 1 Minute lang hart.

e) Vom Herd nehmen, den Schaum schnell abschöpfen und in sterile Gläser füllen, dabei einen Freiraum von ¼ Zoll lassen. Wischen Sie die Ränder der Gläser mit einem feuchten, sauberen Papiertuch ab.

f) Deckel anpassen und verarbeiten.

41. Pfirsich-Ananas-Marmelade

ZUTATEN:

- 4 Tassen abgetropftes Pfirsichmark
- 2 Tassen abgetropfte, ungesüßte, zerkleinerte Ananas
- ¼ Tasse Zitronensaft aus der Flasche
- 2 Tassen Zucker (optional)

ANWEISUNGEN:

a) Waschen Sie 4 bis 6 Pfund feste, reife Pfirsiche gründlich. Gut abtropfen lassen. Schälen und Kerne entfernen. Fruchtfleisch mit einem mittelgroßen oder groben Messer zermahlen oder mit einer Gabel zerdrücken (keinen Mixer verwenden).

b) Geben Sie gemahlene oder zerkleinerte Früchte in einen 2-Liter-Topf. Unter ständigem Rühren langsam erhitzen, um den Saft freizusetzen, bis die Früchte weich sind.

c) Legen Sie die gekochten Früchte in einen mit vier Lagen Käsetuch ausgelegten Geleebeutel oder ein Sieb. Lassen Sie den Saft etwa 15 Minuten abtropfen. Bewahren Sie den Saft für Gelee oder andere Zwecke auf.

d) Messen Sie 4 Tassen abgetropftes Fruchtmark für den Aufstrich ab. Kombinieren Sie die 4 Tassen Fruchtfleisch, Ananas und Zitronensaft in einem 4-Liter-Topf. Falls gewünscht, bis zu 2 Tassen Zucker hinzufügen und gut vermischen. Erhitzen und 10 bis 15 Minuten leicht kochen lassen, dabei ausreichend umrühren, um ein Anhaften zu verhindern.

e) Heiße Gläser schnell füllen und dabei einen Freiraum von ¼ Zoll lassen. Wischen Sie die Ränder der Gläser mit einem feuchten, sauberen Papiertuch ab.

f) Deckel anpassen und verarbeiten.

42. Gekühlte Apfelmarmelade

ZUTATEN:

- 2 Esslöffel geschmacksneutrales Gelatinepulver
- 1-Liter-Flasche ungesüßter Apfelsaft
- 2 Esslöffel Zitronensaft aus der Flasche
- 2 Esslöffel flüssiger kalorienarmer Süßstoff
- Lebensmittelfarbe, falls gewünscht

ANWEISUNGEN:

a) In einem Topf die Gelatine im Apfel- und Zitronensaft einweichen. Um die Gelatine aufzulösen, bringen Sie sie zum Kochen und lassen Sie sie 2 Minuten lang kochen. Vom Herd nehmen. Falls gewünscht, Süßstoff und Lebensmittelfarbe einrühren.

b) Füllen Sie die Gläser und lassen Sie dabei einen Freiraum von ¼ Zoll frei. Wischen Sie die Ränder der Gläser mit einem feuchten, sauberen Papiertuch ab. Deckel anpassen. Nicht verarbeiten oder einfrieren.

c) Im Kühlschrank aufbewahren und innerhalb von 4 Wochen verbrauchen.

43. Traubenmarmelade aus dem Kühlschrank

ZUTATEN:

- 2 Esslöffel geschmacksneutrales Gelatinepulver
- 1 Flasche (24 Unzen) ungesüßter Traubensaft
- 2 Esslöffel Zitronensaft aus der Flasche
- 2 Esslöffel flüssiger kalorienarmer Süßstoff

ANWEISUNGEN:

a) In einem Topf die Gelatine im Trauben- und Zitronensaft einweichen. Zum Kochen bringen, um die Gelatine aufzulösen. 1 Minute kochen lassen und vom Herd nehmen. Süßstoff einrühren.

b) Heiße Gläser schnell füllen und dabei einen Freiraum von ¼ Zoll lassen. Wischen Sie die Ränder der Gläser mit einem feuchten, sauberen Papiertuch ab.

c) Deckel anpassen. Nicht verarbeiten oder einfrieren.

d) Im Kühlschrank aufbewahren und innerhalb von 4 Wochen verbrauchen.

44. Kirschgelee mit Pektinpulver

ZUTATEN:

- 3 ½ Tassen Kirschsaft
- 1 Packung Pektinpulver
- 4 ½ Tassen Zucker

ANWEISUNGEN:

a) Saft zubereiten. Wählen Sie vollreife Kirschen aus. Sortieren, waschen und Stiele entfernen; nicht graben. Kirschen zerdrücken, Wasser hinzufügen, abdecken und bei starker Hitze zum Kochen bringen. Hitze reduzieren und 10 Minuten köcheln lassen. Saft extrahieren.

b) Um Gelee zu machen. Den Saft in einen Wasserkocher abmessen. Pektin hinzufügen und gut umrühren. Auf hohe Hitze stellen und unter ständigem Rühren schnell zum Kochen bringen, bis es nicht mehr umgerührt werden kann.

c) Fügen Sie Zucker hinzu, rühren Sie weiter und erhitzen Sie es erneut, bis es vollständig kocht. 1 Minute lang hart kochen.

d) Vom Herd nehmen; Schaum schnell abschöpfen. Gießen Sie das Gelee in heiße, sterile Einmachgläser bis zu einem Abstand von ¼ Zoll über dem Rand. Verschließen und 5 Minuten im kochenden Wasserbad verarbeiten.

45. Kirschmarmelade mit Pektinpulver

ZUTATEN:

- 4 Tassen gemahlene entkernte Kirschen
- 1 Packung Pektinpulver
- 5 Tassen Zucker

ANWEISUNGEN:

a) Obst zubereiten. Vollreife Kirschen sortieren und waschen; Stiele und Kerne entfernen. Kirschen mahlen oder fein hacken.
b) Um Marmelade zu machen. Vorbereitete Kirschen in einen Wasserkocher geben. Pektin hinzufügen und gut umrühren. Auf hohe Hitze stellen und unter ständigem Rühren schnell zum Kochen bringen, sodass sich auf der gesamten Oberfläche Blasen bilden.
c) Fügen Sie Zucker hinzu, rühren Sie weiter und erhitzen Sie es erneut, bis es vollständig sprudelt. Unter ständigem Rühren 1 Minute lang hart kochen. Vom Herd nehmen; überfliegen.
d) Sofort in heiße, sterile Einmachgläser bis zu einem Abstand von ¼ Zoll über dem oberen Rand füllen. Verschließen und 5 Minuten im kochenden Wasserbad verarbeiten.

46. Feigenmarmelade mit flüssigem Pektin

ZUTATEN:

- 4 Tassen zerstoßene Feigen (ca. 3 Pfund Feigen)
- ½ Tasse Zitronensaft
- 7 ½ Tassen Zucker
- ½ Flasche flüssiges Pektin

ANWEISUNGEN:

a) Obst zubereiten. Vollreife Feigen sortieren und waschen; Stielenden entfernen. Obst zerdrücken oder mahlen.

b) Um Marmelade zu machen. Zerkleinerte Feigen und Zitronensaft in einen Wasserkocher geben. Zucker hinzufügen und gut umrühren. Auf hohe Hitze stellen und unter ständigem Rühren schnell zum Kochen bringen, sodass auf der gesamten Oberfläche Blasen entstehen. Unter ständigem Rühren 1 Minute lang hart kochen.

c) Vom Herd nehmen. Pektin einrühren. Schaum schnell abschöpfen. Sofort in heiße, sterile Einmachgläser bis zu einem Abstand von ¼ Zoll über dem oberen Rand füllen. Verschließen und 5 Minuten im kochenden Wasserbad verarbeiten.

47. Traubengelee mit Pektinpulver

ZUTATEN:

- 5 Tassen Traubensaft
- 1 Packung Pektinpulver
- 7 Tassen Zucker

ANWEISUNGEN:

a) Saft zubereiten. Vollreife Weintrauben sortieren, waschen und entstielten. Trauben zerdrücken, Wasser hinzufügen, abdecken und bei starker Hitze zum Kochen bringen. Hitze reduzieren und 10 Minuten köcheln lassen. Saft extrahieren.

b) Um Gelee zu machen. Den Saft in einen Wasserkocher abmessen. Pektin hinzufügen und gut umrühren. Auf hohe Hitze stellen und unter ständigem Rühren schnell zum Kochen bringen, bis es nicht mehr umgerührt werden kann.

c) Zucker hinzufügen, weiterrühren und erneut zum Kochen bringen. 1 Minute lang hart kochen.

d) Vom Herd nehmen; Schaum schnell abschöpfen. Gießen Sie das Gelee sofort in heiße, sterile Einmachgläser bis zu einem Abstand von 0,6 cm über dem Rand. Verschließen und 5 Minuten im kochenden Wasserbad verarbeiten.

48. Minz-Ananas-Marmelade mit flüssigem Pektin

ZUTATEN:

- Eine 20-Unzen-Dose zerkleinerte Ananas ¾ Tasse Wasser
- ¼ Tasse Zitronensaft
- 7 ½ Tassen Zucker
- 1 Flasche flüssiges Pektin, ½ Teelöffel Minzextrakt, einige Tropfen grüner Farbstoff

ANWEISUNGEN:

a) Zerkleinerte Ananas in einen Wasserkocher geben. Wasser, Zitronensaft und Zucker hinzufügen. Gut umrühren.

b) Bei starker Hitze unter ständigem Rühren schnell zum Kochen bringen, sodass sich auf der gesamten Oberfläche Blasen bilden. Unter ständigem Rühren 1 Minute lang hart kochen. Vom Herd nehmen; Pektin, Aromaextrakt und Farbstoff hinzufügen. Überfliegen.

c) Sofort in heiße, sterile Einmachgläser bis zu einem Abstand von ¼ Zoll über dem oberen Rand füllen. Verschließen und 5 Minuten im kochenden Wasserbad verarbeiten.

49. Gemischtes Fruchtgelee mit flüssigem Pektin

ZUTATEN:

- 2 Tassen Cranberrysaft
- 2 Tassen Quittensaft
- 1 Tasse Apfelsaft
- 7 ½ Tassen Zucker
- ½ Flasche flüssiges Pektin

ANWEISUNGEN:

a) Obst zubereiten. Vollreife Cranberries verlesen und waschen. Wasser hinzufügen, abdecken und bei starker Hitze zum Kochen bringen. Hitze reduzieren und 20 Minuten köcheln lassen. Saft extrahieren.

b) Quitten sortieren und waschen. Stiel- und Blütenenden entfernen; Nicht schälen oder entkernen. Sehr dünn schneiden oder in kleine Stücke schneiden. Wasser hinzufügen, abdecken und bei starker Hitze zum Kochen bringen. Hitze reduzieren und 25 Minuten köcheln lassen. Saft extrahieren.

c) Äpfel sortieren und waschen. Stiel- und Blütenenden entfernen; Nicht schälen oder entkernen. In kleine Stücke schneiden. Wasser hinzufügen, abdecken und bei starker Hitze zum Kochen bringen. Hitze reduzieren und 20 Minuten köcheln lassen. Saft extrahieren.

d) Um Gelee zu machen. Säfte in einen Wasserkocher abmessen. Zucker einrühren. Auf hohe Hitze stellen und unter ständigem Rühren schnell zum Kochen bringen, sodass kein Rühren mehr möglich ist.

e) Pektin hinzufügen und erneut zum Kochen bringen. 1 Minute lang hart kochen.

f) Vom Herd nehmen; Schaum schnell abschöpfen. Gießen Sie das Gelee sofort in heiße, sterile Einmachgläser bis zu einem Abstand von 0,6 cm über dem Rand. Verschließen und 5 Minuten im kochenden Wasserbad verarbeiten.

Ergibt: neun oder zehn 8-Unzen-Gläser.

50. Orangengelee

Ergibt: 4 oder 5 halbe Pint-Gläser.

ZUTATEN:

- 3 ¼ Tassen Zucker
- 1 Tasse Wasser
- 3 Esslöffel Zitronensaft ½ Flasche flüssiges Pektin
- Eine 6-Unzen-Dose (¾ Tasse) gefrorener konzentrierter Orangensaft

ANWEISUNGEN:

a) Den Zucker in das Wasser einrühren. Auf hohe Hitze stellen und unter ständigem Rühren schnell zum Kochen bringen, sodass kein Rühren mehr möglich ist.

b) Zitronensaft hinzufügen. 1 Minute lang hart kochen.

c) Vom Herd nehmen. Pektin einrühren. Aufgetauten konzentrierten Orangensaft hinzufügen und gut vermischen.

d) Gießen Sie das Gelee sofort in heiße, sterile Einmachgläser bis zu einem Abstand von 0,6 cm über dem Rand. Verschließen und 5 Minuten im kochenden Wasserbad verarbeiten.

51. Gewürztes Orangengelee

Ergibt: 4 Gläser mit einem halben Pint.

ZUTATEN:

- 2 Tassen Orangensaft
- ⅓ Tasse Zitronensaft
- ⅔ Tasse Wasser
- 1 Packung Pektinpulver
- 2 Esslöffel Orangenschale, gehackt
- 1 Teelöffel ganzer Piment
- ½ Teelöffel ganze Nelken
- 4 Stangen Zimt, 2 Zoll lang
- 3 ½ Tassen Zucker

ANWEISUNGEN:

a) Orangensaft, Zitronensaft und Wasser in einem großen Topf vermischen.

b) Pektin einrühren.

c) Orangenschale, Piment, Nelken und Zimtstangen locker in ein sauberes weißes Tuch legen, mit einer Schnur zusammenbinden und die Fruchtmischung hinzufügen.

d) Auf hohe Hitze stellen und unter ständigem Rühren schnell zum Kochen bringen, sodass kein Rühren mehr möglich ist.

e) Fügen Sie Zucker hinzu, rühren Sie weiter und erhitzen Sie es erneut, bis es vollständig kocht. 1 Minute lang hart kochen.

f) Vom Herd nehmen. Gewürzbeutel entfernen und Schaum zügig abschöpfen. Gießen Sie das Gelee sofort bis zum Rand in heiße, sterile Einmachgläser. Verschließen und 5 Minuten im kochenden Wasserbad verarbeiten.

52. Orangenmarmelade

ZUTATEN:

- ¾ Tasse Grapefruitschale (½ Grapefruit)
- ¾ Tasse Orangenschale (1 Orange)
- 13⁄ Tasse Zitronenschale (1 Zitrone)
- 1 Liter kaltes Wasser
- Fruchtfleisch von 1 Grapefruit
- Fruchtfleisch von 4 mittelgroßen Orangen
- 2 Tassen Zitronensaft
- 2 Tassen kochendes Wasser
- 3 Tassen Zucker

ANWEISUNGEN:

a) Obst zubereiten. Obst waschen und schälen. Schale in dünne Streifen schneiden. Kaltes Wasser hinzufügen und in einer abgedeckten Pfanne köcheln lassen, bis es weich ist (ca. 30 Minuten). Abfluss.

b) Von geschälten Früchten Kerne und Schale entfernen. Obst in kleine Stücke schneiden.

c) Um Marmelade zu machen. Zum Schälen und Obst kochendes Wasser hinzufügen. Zucker hinzufügen und unter häufigem Rühren schnell auf 9 °F über dem Siedepunkt von Wasser kochen (ca. 20 Minuten). Vom Herd nehmen; überfliegen.

d) Sofort in heiße, sterile Einmachgläser bis zu einem Abstand von ¼ Zoll über dem oberen Rand füllen. Verschließen und 5 Minuten im kochenden Wasserbad verarbeiten.

Ergibt: 3 oder 4 halbe Pint-Gläser.

53. Aprikosen-Orangen-Konfitüre

ZUTATEN:

- 3 ½ Tassen gehackte, abgetropfte Aprikosen
- 1 ½ Tassen Orangensaft
- Schale einer halben Orange, zerkleinert
- 2 Esslöffel Zitronensaft
- 3 ¼ Tassen Zucker
- ½ Tasse gehackte Nüsse

ANWEISUNGEN:

a) Zur Zubereitung getrockneter Aprikosen. Aprikosen ohne Deckel in 3 Tassen Wasser kochen, bis sie weich sind (ca. 20 Minuten); abtropfen lassen und hacken.

b) Konservieren machen. Alle Zutaten außer Nüssen vermischen. Unter ständigem Rühren bis zu einer Temperatur von 9 °F über dem Siedepunkt von Wasser kochen, bis es dickflüssig ist. Nüsse hinzufügen; gut umrühren. Vom Herd nehmen; überfliegen.

c) Sofort in heiße, sterile Einmachgläser bis zu einem Abstand von ¼ Zoll über dem oberen Rand füllen. Verschließen und 5 Minuten im kochenden Wasserbad verarbeiten.

54. Pfirsichmarmelade mit Pektinpulver

Ergibt: etwa 6 halbe Pint-Gläser.

ZUTATEN:

- 3 ¾ Tassen zerdrückte Pfirsiche
- ½ Tasse Zitronensaft
- 1 Packung Pektinpulver
- 5 Tassen Zucker

ANWEISUNGEN:

a) Obst zubereiten. Vollreife Pfirsiche sortieren und waschen. Stiele, Schalen und Kerne entfernen. Pfirsiche zerstoßen.

b) Um Marmelade zu machen. Zerkleinerte Pfirsiche in einen Wasserkocher geben. Zitronensaft und Pektin hinzufügen; gut umrühren. Auf hohe Hitze stellen und unter ständigem Rühren schnell zum Kochen bringen, sodass auf der gesamten Oberfläche Blasen entstehen.

c) Fügen Sie Zucker hinzu, rühren Sie weiter und erhitzen Sie es erneut, bis es vollständig sprudelt. Unter ständigem Rühren 1 Minute lang hart kochen. Vom Herd nehmen; überfliegen.

d) Sofort in heiße, sterile Einmachgläser bis zu einem Abstand von ¼ Zoll über dem oberen Rand füllen. Verschließen und 5 Minuten im kochenden Wasserbad verarbeiten.

55. Gewürzte Blaubeer-Pfirsich-Marmelade

Ergibt: 6 oder 7 halbe Pint-Gläser.

ZUTATEN:

- 4 Tassen gehackte oder gemahlene Pfirsiche
- 4 Tassen Blaubeeren
- 2 Esslöffel Zitronensaft
- ½ Tasse Wasser
- 5 ½ Tassen Zucker
- ½ Teelöffel Salz
- 1 Stange Zimt
- ½ Teelöffel ganze Nelken
- ¼ Teelöffel ganzer Piment

ANWEISUNGEN:

a) Obst zubereiten. Vollreife Pfirsiche sortieren und waschen; schälen und Kerne entfernen. Pfirsiche hacken oder mahlen.

b) Frische Blaubeeren sortieren, waschen und alle Stiele entfernen.

c) Gefrorene Beeren auftauen lassen.

d) Um Marmelade zu machen. Früchte in einen Wasserkocher abmessen; Zitronensaft und Wasser hinzufügen. Abdecken, zum Kochen bringen und 10 Minuten köcheln lassen, dabei gelegentlich umrühren.

e) Zucker und Salz hinzufügen; gut umrühren. In ein Käsetuch gebundene Gewürze hinzufügen. Unter ständigem Rühren schnell aufkochen, bis die Temperatur 9 °F über dem Siedepunkt von Wasser liegt oder bis die Mischung eindickt.

f) Sofort in heiße, sterile Einmachgläser bis zu einem Abstand von ¼ Zoll über dem oberen Rand füllen. Verschließen und 5 Minuten im kochenden Wasserbad verarbeiten.

56. Ananasmarmelade mit flüssigem Pektin

Ergibt: 4 oder 5 halbe Pint-Gläser.

ZUTATEN:

- Eine 20-Unzen-Dose zerkleinerte Ananas
- 3 Esslöffel Zitronensaft
- 3 ¼ Tassen Zucker
- ½ Flasche flüssiges Pektin

ANWEISUNGEN:

a) Ananas- und Zitronensaft in einem Wasserkocher vermischen. Zucker hinzufügen und gut umrühren. Auf hohe Hitze stellen und unter ständigem Rühren schnell zum Kochen bringen, sodass auf der gesamten Oberfläche Blasen entstehen.

b) Unter ständigem Rühren 1 Minute lang hart kochen.

c) Vom Herd nehmen; Pektin einrühren. Überfliegen.

d) 5 Minuten stehen lassen.

e) Sofort in heiße, sterile Einmachgläser bis zu einem Abstand von ¼ Zoll über dem oberen Rand füllen.

f) Verschließen und 5 Minuten im kochenden Wasserbad verarbeiten.

57. Pflaumengelee mit flüssigem Pektin

Ergibt: 7 oder 8 halbe Pint-Gläser.

ZUTATEN:

- 4 Tassen Pflaumensaft
- 7 ½ Tassen Zucker
- ½ Flasche flüssiges Pektin

ANWEISUNGEN:

a) Saft zubereiten. Vollreife Pflaumen sortieren, waschen und in Stücke schneiden; nicht schälen oder entsteinen. Obst zerdrücken, Wasser hinzufügen, abdecken und bei starker Hitze zum Kochen bringen. Hitze reduzieren und 10 Minuten köcheln lassen. Saft extrahieren.

b) Um Gelee zu machen. Den Saft in einen Wasserkocher abmessen. Zucker einrühren. Auf hohe Hitze stellen und unter ständigem Rühren schnell zum Kochen bringen, sodass kein Rühren mehr möglich ist.

c) Pektin hinzufügen; noch einmal zum Kochen bringen. 1 Minute lang hart kochen.

d) Vom Herd nehmen; Schaum schnell abschöpfen. Gießen Sie das Gelee sofort in heiße, sterile Einmachgläser bis zu einem Abstand von 0,6 cm über dem Rand. Verschließen und 5 Minuten im kochenden Wasserbad verarbeiten.

58. Erdbeermarmelade mit Pektinpulver

ZUTATEN:

- 5 ½ Tassen zerdrückte Erdbeeren
- 1 Packung Pektinpulver
- 8 Tassen Zucker

ANWEISUNGEN:

a) Obst zubereiten. Vollreife Erdbeeren sortieren und waschen; Stiele und Kappen entfernen. Beeren zerdrücken.

b) Um Marmelade zu machen. Zerkleinerte Erdbeeren in einen Wasserkocher geben. Pektin hinzufügen und gut umrühren. Auf hohe Hitze stellen und unter ständigem Rühren schnell zum Kochen bringen, sodass sich auf der gesamten Oberfläche Blasen bilden.

c) Fügen Sie Zucker hinzu, rühren Sie weiter und erhitzen Sie es erneut, bis es vollständig sprudelt. Unter ständigem Rühren 1 Minute lang hart kochen. Vom Herd nehmen; überfliegen.

d) Sofort in heiße, sterile Einmachgläser bis zu einem Abstand von ¼ Zoll über dem oberen Rand füllen. Verschließen und 5 Minuten im kochenden Wasserbad verarbeiten.

e) Ergibt: 9 oder 10 Gläser mit einem halben Pint.

59. Tutti-Frutti-Marmelade

Ergibt: 6 oder 7 halbe Pint-Gläser.

ZUTATEN:

- 3 Tassen gehackte oder gemahlene Birnen
- 1 große Orange
- ¾ Tasse abgetropfte, zerdrückte Ananas
- ¼ Tasse gehackte Maraschino-Kirschen
- ¼ Tasse Zitronensaft
- 1 Packung Pektinpulver
- 5 Tassen Zucker

ANWEISUNGEN:

a) Obst zubereiten. Reife Birnen sortieren und waschen; Pare und Kern. Die Birnen hacken oder mahlen. Orange schälen, Kerne entfernen und Fruchtfleisch hacken oder mahlen.

b) Um Marmelade zu machen. Gehackte Birnen in einen Wasserkocher geben. Orangen-, Ananas-, Kirschen- und Zitronensaft hinzufügen. Pektin einrühren.

c) Auf hohe Hitze stellen und unter ständigem Rühren schnell zum Kochen bringen, sodass sich auf der gesamten Oberfläche Blasen bilden.

d) Fügen Sie Zucker hinzu, rühren Sie weiter und erhitzen Sie es erneut, bis es vollständig sprudelt. Unter ständigem Rühren 1 Minute lang hart kochen. Vom Herd nehmen; überfliegen.

e) Sofort in heiße, sterile Einmachgläser bis zu einem Abstand von ¼ Zoll über dem oberen Rand füllen. Verschließen und 5 Minuten im kochenden Wasserbad verarbeiten.

60. Traubenkonserve

ZUTATEN:

- 3 Pfund Trauben
- 3 Pfund Zucker
- 1 Pfund entkernte Rosinen
- 3 Orangen
- ½ Pfund Walnussfleisch, gehackt

ANWEISUNGEN:

a) Traubenschalen vom Fruchtfleisch trennen. Das Fruchtfleisch etwa 10 Minuten lang kochen und dann abseihen, um die Kerne zu entfernen, bevor es mit den Schalen vermischt wird.

b) Rosinen und Orangen durch einen Zerkleinerer geben. Zu den Weintrauben hinzufügen.

c) Zucker hinzufügen und unter häufigem Rühren etwa 45 Minuten lang langsam kochen lassen.

d) Vor dem Verschließen zuerst die Walnüsse hinzufügen. In kleine Gläser füllen und verschließen.

Marmeladen ohne Pektin

61. Brombeergelee ohne Zusatz von Pektin

ZUTATEN:

- 8 Tassen Brombeersaft
- 6 Tassen Zucker

ANWEISUNGEN:

a) Saft zubereiten. Wählen Sie ein Verhältnis von einem Viertel unreifer Beeren zu drei Vierteln reifer Früchte. Sortieren und waschen; Entfernen Sie alle Stiele und Kappen. Beeren zerdrücken, Wasser hinzufügen, abdecken und bei starker Hitze zum Kochen bringen. Hitze reduzieren und 5 Minuten köcheln lassen. Saft extrahieren.

b) Um Gelee zu machen. Den Saft in einen Wasserkocher abmessen. Zucker hinzufügen und gut umrühren. Bei starker Hitze auf 8 °F über dem Siedepunkt von Wasser kochen oder bis die Geleemischung von einem Löffel in Blätter fällt.

c) Vom Herd nehmen; Schaum schnell abschöpfen. Gießen Sie das Gelee sofort bis zum Rand in heiße, sterile Einmachgläser. Verschließen und 5 Minuten im kochenden Wasserbad verarbeiten.

62. Apfelgelee ohne Zusatz von Pektin

ZUTATEN:

- 4 Tassen Apfelsaft
- 2 Esslöffel abgesiebter Zitronensaft, falls gewünscht
- 3 Tassen Zucker

ANWEISUNGEN:

a) Saft zubereiten. Verwenden Sie ein Verhältnis von einem Viertel unterreifer Äpfel zu drei Vierteln vollreifer säuerlicher Früchte.

b) Sortieren, waschen und entfernen Sie Stiel- und Blütenenden; Nicht schälen oder entkernen. Äpfel in kleine Stücke schneiden. Wasser hinzufügen, abdecken und bei starker Hitze zum Kochen bringen. Hitze reduzieren und 20 bis 25 Minuten köcheln lassen, bis die Äpfel weich sind. Saft extrahieren.

c) Um Gelee zu machen. Apfelsaft in einen Wasserkocher abmessen. Zitronensaft und Zucker hinzufügen und gut verrühren. Bei starker Hitze auf 8 °F über dem Siedepunkt von Wasser kochen, oder bis die Geleemischung von einem Löffel in ein Blatt fällt.

d) Vom Herd nehmen; Schaum schnell abschöpfen. Gießen Sie das Gelee sofort bis zum Rand in heiße, sterile Einmachgläser. Verschließen und 5 Minuten im kochenden Wasserbad verarbeiten.

63. Apfelmarmelade ohne Zusatz von Pektin

ZUTATEN:

- 8 Tassen dünn geschnittene Äpfel
- 1 Orange
- 1½ Tassen Wasser
- 5 Tassen Zucker
- 2 Esslöffel Zitronensaft

ANWEISUNGEN:

a) Obst zubereiten. Wählen Sie säuerliche Äpfel aus. Äpfel waschen, schälen, vierteln und entkernen. In dünne Scheiben schneiden. Die Orange vierteln, alle Kerne entfernen und in sehr dünne Scheiben schneiden.

b) Um Marmelade zu machen. Wasser und Zucker erhitzen, bis sich der Zucker aufgelöst hat. Zitronensaft und Obst hinzufügen. Unter ständigem Rühren schnell aufkochen, bis eine Temperatur von 9 °F über dem Siedepunkt von Wasser erreicht ist oder bis die Mischung eindickt. Vom Herd nehmen; überfliegen.

c) Sofort in heiße, sterile Einmachgläser bis zu einem Abstand von ½ Zoll über dem oberen Rand füllen. Siegel. 5 Minuten im kochenden Wasserbad verarbeiten.

64. Quittengelee ohne Zusatz von Pektin

Ergibt: etwa vier 8-Unzen-Gläser

ZUTATEN:

- 3 ¾ Tassen Quittensaft
- ⅓ Tasse Zitronensaft
- 3 Tassen Zucker

ANWEISUNGEN:

a) Saft zubereiten. Wählen Sie einen Anteil von etwa einem Viertel unreifer Quitten und drei Vierteln vollreifer Früchte. Stängel und Blütenenden sortieren, waschen und entfernen; Nicht schälen oder entkernen. Quitten sehr dünn schneiden oder in kleine Stücke schneiden.

b) Wasser hinzufügen, abdecken und bei starker Hitze zum Kochen bringen. Hitze reduzieren und 25 Minuten köcheln lassen. Saft extrahieren.

c) Um Gelee zu machen. Quittensaft in einen Wasserkocher abmessen. Zitronensaft und Zucker hinzufügen. Gut umrühren. Bei starker Hitze auf 8 °F über dem Siedepunkt von Wasser kochen, oder bis die Geleemischung eine Schicht aus einem Löffel bildet.

d) Vom Herd nehmen; Schaum schnell abschöpfen. Gießen Sie das Gelee in heiße, sterile Einmachgläser bis zu einem Abstand von ¼ Zoll über dem Rand. Verschließen und 5 Minuten im kochenden Wasserbad verarbeiten.

FRISCHE MARMELADE

65. Rosa Limonade Açaí-Marmelade

Ergibt: etwa ¾ Tasse

ZUTATEN:

- 1 Tasse Açaí-Püree
- ¼ Tasse Rohrzucker
- 2 Esslöffel rosa Limonade
- Prise Salz
- 3 Esslöffel gemahlene Chiasamen

ANWEISUNGEN:

a) Açaí, Zucker, rosa Limonade und eine Prise Salz in einem kleinen Topf verrühren.

b) Zum Köcheln bringen und 10-15 Minuten kochen lassen, bis es leicht eingedickt ist.

c) Gemahlenes Chia unterrühren, bis alles gut vermischt ist.

d) Bis zur Raumtemperatur ruhen lassen, dann in einen Behälter umfüllen und bis zur Verwendung im Kühlschrank aufbewahren.

66. Erdbeer-Lavendel-Marmelade

Ergibt: 1 Charge

ZUTATEN:

- 1 Pfund Erdbeeren
- 1 Pfund Zucker
- 24 Lavendelstiele
- 2 Zitronen, Saft davon

ANWEISUNGEN:

a) Die Erdbeeren waschen, trocknen und entstielen.

b) Legen Sie sie mit dem Zucker und einem Dutzend Lavendelstängeln in eine Schüssel und stellen Sie sie über Nacht an einen kühlen Ort.

c) Entsorgen Sie den Lavendel und geben Sie die Beerenmischung in einen Topf ohne Aluminium.

d) Binden Sie die restlichen Lavendelstiele zusammen und geben Sie sie zu den Beeren.

e) Den Zitronensaft hinzufügen.

f) Zum Kochen bringen und dann 25 Minuten köcheln lassen.

g) Den Schaum von oben abschöpfen. Lavendel wegwerfen und die Marmelade in sterilisierte Gläser füllen. Siegel.

67. Geißblattsirup

Ergibt: 1 Portion

ZUTATEN:

- 4 Pfund frische Geißblattblüten
- 8 Pints kochendes Wasser
- Zucker

ANWEISUNGEN:

a) Blütenblätter 12 Stunden lang in Wasser ziehen lassen.

b) Für ein paar Stunden beiseite stellen.

c) Dekantieren, die doppelte Menge Zucker hinzufügen und einen Sirup herstellen.

68. Rhabarber-, Rosen- und Erdbeermarmelade

Ergibt: etwa 6 Pints

ZUTATEN:

- 2 Pfund Rhabarber
- 1 Pfund Erdbeeren
- ½ Pfund stark duftende Rosenblätter
- 1½ Pfund Zucker
- 4 saftige Zitronen inklusive Kernen wurden beiseite gelegt

ANWEISUNGEN:

a) Den Rhabarber in Scheiben schneiden und mit den ganzen geschälten Erdbeeren und dem Zucker in eine Schüssel geben. Den Zitronensaft darübergießen, abdecken und über Nacht stehen lassen.

b) Gießen Sie den Inhalt der Schüssel in eine nicht reaktive Pfanne. Die in einem Musselinbeutel zusammengebundenen Zitronenkerne hinzufügen und leicht zum Kochen bringen. 2 Minuten kochen lassen, dann den Inhalt der Pfanne zurück in die Schüssel gießen. Abdecken und noch einmal über Nacht an einem kühlen Ort stehen lassen.

c) Die Rhabarber-Erdbeer-Mischung wieder in die Pfanne geben.

d) Entfernen Sie die weißen Spitzen von der Basis der Rosenblätter, geben Sie die Blütenblätter in die Pfanne und drücken Sie sie gut zwischen die Früchte.

e) Zum Kochen bringen und schnell kochen, bis der Stockpunkt erreicht ist, dann in warme, sterilisierte Gläser füllen.

f) Versiegeln und verarbeiten.

69. Apfelmoossirup

Macht: 4

ZUTATEN:

- ½ Tasse Wildblumenhonig
- 32 Unzen entsaftete Äpfel
- 1 Esslöffel Seemoos-Gel
- Eine halbe Limette entsaftet

ANWEISUNGEN:

a) Gießen Sie den Apfelsaft durch ein feinmaschiges Sieb in einen kleinen Topf auf Ihrem Herd. Stellen Sie die Herdtemperatur auf mittelhoch ein.

b) Den Honig hinzufügen und umrühren, bis er sich vermischt hat

c) Stellen Sie die Herdtemperatur so ein, dass die Flüssigkeit sprudelt, ohne dass es zu starken Spritzern kommt

d) Die restlichen Zutaten hinzufügen und weiterrühren.

e) Wenn die Flüssigkeit abnimmt und der Inhalt konzentrierter wird, müssen Sie möglicherweise eine niedrigere Temperatur einstellen.

f) Auf dem Herd kochen lassen, bis ⅓ bis ¼ der Ausgangsflüssigkeit übrig ist.

g) Um die Konsistenz zu testen, geben Sie 1-3 Esslöffel in eine kleine Glasschüssel und stellen Sie sie für 30 Sekunden bis 1 Minute in den Gefrierschrank.

h) Berühren Sie die Flüssigkeit mit einem Zahnstocher oder einem sauberen Finger und heben Sie Ihren Finger langsam an.

i) Sie suchen nach einer möglichst honigähnlichen Konsistenz.

j) Je länger es kochen lässt, desto dicker wird die Konsistenz. Sie entscheiden, wie dünn oder dick Sie es haben möchten

k) Sobald die Flüssigkeit eingekocht ist und Sie die gewünschte Konsistenz erreicht haben, schalten Sie den Herd aus und lassen Sie das Ganze etwa 10 Minuten lang abkühlen. Die Flüssigkeit sollte noch sehr heiß sein, aber nicht kochen.

l) Die Flüssigkeit durch ein feinmaschiges Sieb in ein Einmachglas abseihen.

m) Setzen Sie den Deckel auf das Glas und lassen Sie es abkühlen.

70. Seemoos-Apfelsauce

Macht: 4

ZUTATEN:

- 10 Bio-Äpfel, gewaschen und geschält
- 2 Esslöffel Ihres Lieblingstees mit Geschmack
- 2,5 Tassen Wasser
- Optional: Ahornsirup

ANWEISUNGEN:

a) Die Äpfel grob hacken und auf 2 Schüsseln verteilen. Jede Schüssel enthält etwa 3,5 Tassen Äpfel.

b) Bereiten Sie zwei Kannen Tee mit 2,5 Tassen Wasser und 2 Esslöffeln Tee pro Kanne zu.

c) Den Tee abseihen und die Flüssigkeit bei niedriger Flamme/Hitze zurück in die Kanne geben.

d) In jeden Topf 3 ½ Tassen grob gehackte Äpfel geben.

e) Köcheln lassen, bis die Äpfel weich sind und sich leicht durchstechen oder pürieren lassen.

f) Sobald die Äpfel gar sind, die Flamme erhöhen und die überschüssige Flüssigkeit auskochen.

g) Sobald die Flüssigkeit auf 50 % der Menge an Äpfeln im Topf reduziert ist, mit einem Stabmixer oder Pürierstab pürieren.

h) Ihre Apfelsauce sollte an sich süß sein, aber da nicht jede Ernte gleich ist, brauchen die Äpfel möglicherweise Hilfe. Fügen Sie in diesem Fall einen Hauch Ahornsirup hinzu, bis Sie zufrieden sind.

i) In saubere, sterilisierte Gläser löffeln oder füllen.

j) Abkühlen lassen.

k) Nach dem Abkühlen abdecken und im Kühlschrank aufbewahren.

l) Zum Servieren 2 Esslöffel zubereitetes Seemoos in die Apfelsauce geben, verrühren und genießen.

71. Açaí-Chia-Marmelade

Ergibt: etwa ¾ Tasse

ZUTATEN:

- Açaí-Püree
- ¼ Tasse Rohrzucker
- 2 Esslöffel Zitronensaft
- Prise Salz
- 3 Esslöffel gemahlene Chiasamen

ANWEISUNGEN:

a) Açaí, Zucker, Zitronensaft und eine Prise Salz in einem kleinen Topf verrühren. Zum Köcheln bringen und 10-15 Minuten kochen lassen, bis es leicht eingedickt ist.

b) Gemahlenes Chia unterrühren, bis alles gut vermischt ist. Bis zur Raumtemperatur ruhen lassen, dann in einen Behälter umfüllen und bis zur Verwendung im Kühlschrank aufbewahren.

Marmelade im Gefrierschrank

72. Erdbeer-Gefriermarmelade

Ergibt: 3 Pfund

ZUTATEN:

- 1¼ Pfund (600 g) frische Erdbeeren
- 2 Pfund Puderzucker
- 3 Esslöffel (50 ml) Zitronensaft
- ½ Flasche flüssiges Pektin

ANWEISUNGEN:

a) Die Erdbeeren in einer großen Schüssel mit einem Holzlöffel zerdrücken.
b) Den Zucker einrühren und in einer warmen Küche etwa 1 Stunde stehen lassen, dabei gelegentlich umrühren, bis sich der Zucker aufgelöst hat.
c) Flüssiges Pektin hinzufügen und gut umrühren.
d) Den Zitronensaft hinzufügen und 2 Minuten weiterrühren.
e) In kleine Behälter füllen und gut abdecken. 48 Stunden an einem warmen Ort stehen lassen und anschließend einfrieren.

73. Kiwi-Marmelade

ZUTATEN:

- 1¼ Pfund (550 g) Kiwis
- 2 Pfund Zucker (vorzugsweise Zucker)
- ½ Flasche flüssiges Pektin
- 2 Esslöffel (30 ml) Zitronensaft

ANWEISUNGEN:

a) Die Früchte dünn schälen und das harte Stück am Stielende entfernen.

b) Die Früchte gründlich zerdrücken und mit dem Zucker vermischen.

c) 1 Stunde in einer warmen Küche stehen lassen, dabei ab und zu umrühren.

d) Das flüssige Pektin hinzufügen und gründlich vermischen.

e) Den Zitronensaft hinzufügen und 2 Minuten lang rühren, um alles gründlich zu vermischen.

f) In geeignete kleine Gefrierbehälter umfüllen und Platz zum Ausdehnen lassen.

g) Mit Gefrierfolie oder Frischhaltefolie abdecken.

h) 24 – 48 Stunden in der warmen Küche stehen lassen, dann einfrieren.

74. Himbeer-/Johannisbeermarmelade

Ergibt: 3 Pfund

ZUTATEN:

- 1¼ Pfund (600 g) Himbeeren oder schwarze Johannisbeeren
- 2 Pfund Puderzucker
- 2 Esslöffel (30 ml) Zitronensaft ½ Flasche flüssiges Pektin

ANWEISUNGEN:

a) Zerdrücken Sie die Himbeeren: Wenn Sie schwarze Johannisbeeren verwenden, geben Sie sie in einen Zerstäuber auf Pulsstufe und zerkleinern Sie die Schalen mit kurzen Stößen. Mit dem Zucker in eine Schüssel geben und gründlich verrühren.

b) In einer warmen Küche etwa 1 Stunde stehen lassen, dabei gelegentlich umrühren, bis sich der Zucker aufgelöst hat.

c) Das flüssige Pektin hinzufügen und 2 Minuten rühren.

d) Den Zitronensaft hinzufügen und 2 Minuten weiterrühren.

e) In kleine Behälter füllen und gut abdecken. 48 Stunden an einem warmen Ort stehen lassen und anschließend einfrieren.

TRADITIONELLE MARMELADE

75. Apfel und Ingwer

Ergibt: 5 Pfund

ZUTATEN:

- 3 Pfund Kochäpfel
- 3 Pfund Zucker
- 1½ Pints (850 ml) Wasser
- 1 oz (30 g) gequetschte Ingwerwurzel in einem Musselinbeutel
- 2 oz (55 g) gehackter kristallisierter Ingwer
- ½ Flasche flüssiges Pektin

ANWEISUNGEN:

a) Äpfel schälen und entkernen, Schale und Kerngehäuse mit dem Wasser in einen Topf geben, aufkochen und 10 Minuten kochen lassen, zerdrücken und abseihen.

b) Die Äpfel in Scheiben schneiden, mit dem abgesiebten Saft in einen großen Topf geben, den Ingwer dazugeben und leicht köcheln lassen, bis die Äpfel weich sind.

c) Den Zucker zu den gekochten Äpfeln geben und unter gelegentlichem Rühren langsam erhitzen, bis sich der Zucker aufgelöst hat.

d) Den kristallisierten Ingwer dazugeben, zum Kochen bringen und 2 Minuten lang schnell kochen lassen.

e) Vom Herd nehmen, den Musselinbeutel herausnehmen und das flüssige Pektin einrühren.

f) Acht Minuten lang abwechselnd umrühren und abschöpfen, um abzukühlen und zu verhindern, dass Früchte aufschwimmen.

g) Wie gewohnt eintopfen und abdecken.

76. Aprikosenmarmelade

Ergibt: 5 Pfund

ZUTATEN:

- 2 Pfund Aprikosen (reif)
- 3 Pfund Zucker
- ½ Flasche flüssiges Pektin

ANWEISUNGEN:

a) Die Aprikosen entsteinen, in kleine Stücke schneiden und gründlich zerdrücken. Nicht schälen.

b) Die Früchte mit dem Zucker in einen Topf geben und unter gelegentlichem Rühren leicht erhitzen, bis sich der Zucker aufgelöst hat.

c) Schnell zum Kochen bringen und 1 Minute lang schnell kochen lassen, dabei gelegentlich umrühren.

d) Vom Herd nehmen und das flüssige Pektin einrühren.

e) Wie gewohnt abschöpfen, umtopfen und abdecken.

77. Apfel- und Brombeermarmelade

Ergibt: 8 Pfund

ZUTATEN:

- 2 Pfund vorbereitete Äpfel
- 5 Pfund (2,3 kg) Zucker
- 1½ Pfund (700 g) Brombeersaft einer Zitrone
- 1 Flasche flüssiges Pektin

ANWEISUNGEN:

a) Die Äpfel entkernen und schälen, in kleine Stücke schneiden und mit ¼ Pint Wasser in einen großen Topf geben.
b) Aufkochen und 15 Minuten köcheln lassen.
c) Brombeeren gründlich zerdrücken und mit 4 Esslöffeln (60 ml) in eine andere Pfanne geben.
d) aus Wasser.
e) 10-15 Minuten köcheln lassen.
f) In ein Geleetuch legen und den Saft abtropfen lassen. Messen Sie das Wasser ab und fügen Sie es bei Bedarf hinzu, um 1 Pint (570 ml) zu erhalten.
g) Mit Zucker und Zitronensaft zum Apfelmark geben.
h) Unter ständigem Rühren langsam erhitzen, bis sich der Zucker aufgelöst hat.
i) Zum Kochen bringen und kochen lassen
j) 2 Minuten.
k) Vom Herd nehmen und das flüssige Pektin einrühren.
l) Wie gewohnt abschöpfen, umtopfen und abdecken.

78. Marmelade aus schwarzen Trauben und Portwein

Ergibt: 7 Pfund

ZUTATEN:

- 4 Pfund (1,8 kg) schwarze Trauben 4½ Pfund (2,1 kg) Zucker
- ¼ Pint Wasser, Saft einer Zitrone
- 3 Esslöffel (950 ml) Portwein
- 1 Flasche flüssiges Pektin

ANWEISUNGEN:

a) Verwenden Sie nur vollreife Trauben, waschen Sie die Früchte und entfernen Sie die Kerne.
b) Mit dem Wasser in einen Topf geben und köcheln lassen, bis es weich ist (ca. 15 Minuten).
c) Zitronensaft und Zucker hinzufügen.
d) Zum Kochen bringen und 5 Minuten lang schnell kochen lassen.
e) Vom Herd nehmen und bei Bedarf abschöpfen. Fügen Sie das flüssige Pektin und den Portwein hinzu.
f) Etwas abkühlen lassen, damit die Früchte nicht aufschwimmen.
g) Wie gewohnt eintopfen und abdecken.

79. Brombeermarmelade

Ergibt: 5 Pfund

ZUTATEN:

- 2 Pfund Beeren
- 3 Pfund Zucker
- ½ Flasche flüssiges Pektin

ANWEISUNGEN:

a) Verwenden Sie nur vollreife Früchte. Zerkleinern Sie sie gründlich.
b) Die vorbereiteten Früchte und den Zucker in einen großen Topf geben, gut vermischen und vorsichtig erhitzen, bis sich der Zucker aufgelöst hat.
c) Zum Kochen bringen und bei höchster Hitze kochen lassen.
d) Vor und während des Kochens ständig umrühren.
e) 2 Minuten lang hart kochen.
f) Vom Herd nehmen und das flüssige Pektin einrühren.
g) Abschöpfen und abwechselnd nur 5 Minuten lang umrühren.
h) Leicht abkühlen lassen, damit die Früchte nicht aufschwimmen.
i) Wie gewohnt eintopfen und abdecken.

80. Schwarze Johannisbeermarmelade

Ergibt: 5 Pfund

ZUTATEN:

- 2 Pfund schwarze Johannisbeeren
- 3¼ Pfund Zucker
- ½ Pint Wasser
- ½ Flasche flüssiges Pektin

ANWEISUNGEN:

a) Die Früchte beschneiden, schwärzen und waschen.

b) Gut zerdrücken und die Früchte mit dem Wasser in einen großen Topf geben, zum Kochen bringen und abgedeckt 15 Minuten köcheln lassen, bis die Schalen weich sind.

c) Den Zucker hinzufügen, gut umrühren und vorsichtig erhitzen, bis sich der Zucker aufgelöst hat.

d) Zum Kochen bringen und 1 Minute lang schnell kochen lassen, dabei gelegentlich umrühren.

e) Vom Herd nehmen und das flüssige Pektin einrühren – bei Bedarf abschöpfen.

f) Wie gewohnt eintopfen und abdecken.

81. Aprikosen- und Ananasmarmelade aus der Dose

Ergibt: 5 Pfund

ZUTATEN:

- 2 x 15 oz Dosen Aprikosenhälften
- 3 Pfund Zucker
- 2 x 16 oz Ananasringe
- Saft von 1 Zitrone 1 Flasche flüssiges Pektin

ANWEISUNGEN:

a) Früchte abtropfen lassen, Ananasringe und Aprikosen fein hacken.

b) Die Früchte in einen Topf geben, Zucker und Zitronensaft hinzufügen.

c) Unter ständigem Rühren langsam erhitzen, bis sich der gesamte Zucker aufgelöst hat.

d) Zum Kochen bringen und 2 Minuten lang kräftig kochen lassen.

e) Vom Herd nehmen und das flüssige Pektin einrühren.

f) Die Marmelade abschöpfen und umrühren. Etwas abkühlen lassen.

g) Schnell in saubere Gläser füllen, verschließen und wie gewohnt abdecken.

82. Kirschmarmelade

Ergibt: 5 Pfund

ZUTATEN:

- 2,5 Pfund entsteinte Kirschen
- 3 Pfund Zucker
- ¼ Pint Wasser
- 3 gestrichene Esslöffel Zitronensaft
- 1 Flasche flüssiges Pektin

ANWEISUNGEN:

a) Die Kirschen im Wasser und Zitronensaft in einer abgedeckten Pfanne 15 Minuten köcheln lassen.
b) Vor dem Hinzufügen des Zuckers in eine wirklich große Pfanne geben.
c) Den Zucker hinzufügen und unter gelegentlichem Rühren vorsichtig erhitzen, bis sich der Zucker aufgelöst hat.
d) Zum Kochen bringen und 1 – 2 Minuten lang schnell kochen lassen.
e) Flüssiges Pektin einrühren und 1 Minute weiterkochen.

f) Vom Herd nehmen, abschöpfen, bei Bedarf leicht abkühlen lassen, in einen Topf geben und wie gewohnt abdecken.

83. Damson Jam

Ergibt: 5 Pfund

ZUTATEN:

- 2½ Pfund Obst
- 3¼ Pfund Zuckersaft von 1 Zitrone
- ½ Pint Wasser
- ½ Flasche flüssiges Pektin

ANWEISUNGEN:

a) Die Früchte waschen und mit dem Wasser in einen Topf geben.
b) Rühren, bis die Mischung kocht.
c) Abdecken und 15 Minuten köcheln lassen.
d) Zucker und Zitronensaft hinzufügen und gut vermischen.
e) Bei höchster Hitze zum Kochen bringen.
f) Fügen Sie ein kleines Stück Butter hinzu.
g) Vor und während des Kochens ständig umrühren.
h) 1 Minute lang hart kochen.
i) Vom Herd nehmen, flüssiges Pektin einrühren.
j) Überfliegen Sie, um Schaum und eventuelle Steine zu entfernen.
k) Schnell gießen und abdecken.

84. Frische Feigenmarmelade

Ergibt: 5 Pfund

ZUTATEN:

- 2 Pfund reife Feigen
- 3,5 Pfund Zucker
- Saft von 2 Zitronen
- 1 Flasche flüssiges Pektin

ANWEISUNGEN:

a) Geben Sie die Feigen in einen großen Einmachtopf, den Saft von zwei Zitronen, 2 Pfund Feigen und 3 ½ Pfund Zucker.

b) Gut vermischen und langsam erhitzen, bis sich der Zucker aufgelöst hat.

c) Unter ständigem Rühren zum Kochen bringen.

d) 1 Minute lang hart kochen, dann vom Herd nehmen und das flüssige Pektin einrühren.

e) Wie gewohnt abschöpfen, umtopfen und abdecken.

85. Ingwermarmelade

Ergibt: 5 Pfund

ZUTATEN:

- 1 Pfund Ingwerwurzel
- 3 Pfund Zucker
- 6 Esslöffel Zitronensaft
- 1 Flasche flüssiges Pektin

ANWEISUNGEN:

a) Den Ingwer schälen und in 6 mm große Würfel schneiden

b) Mit kaltem Wasser bedecken, zum Kochen bringen, 5 Minuten köcheln lassen und dann abtropfen lassen.

c) Mit frischem, kaltem Wasser bedecken, aufkochen und 5 – 10 Minuten köcheln lassen. Gut abtropfen lassen.

d) In eine wirklich große Pfanne geben, Zucker und 400 ml Wasser und Zitronensaft hinzufügen. Unter Rühren zum Kochen bringen, 5 Minuten köcheln lassen und mehrere Stunden oder über Nacht abkühlen lassen.

e) Fügen Sie ein kleines Stück Butter hinzu, um Schaumbildung zu vermeiden, bringen Sie es zum Kochen und kochen Sie es so schnell wie möglich 2 Minuten lang. Vom Herd nehmen.

f) Flüssiges Pektin einrühren. Unter gelegentlichem Rühren 5 – 10 Minuten abkühlen lassen, bis der Teig fest geworden ist.

g) In warme Gläser füllen und wie gewohnt abdecken.

86. Stachelbeermarmelade

Ergibt: 5 Pfund

ZUTATEN:

- 2 Pfund Stachelbeeren
- 3½ Pfund Zucker
- ¼ Pint Wasser
- ½ Flasche flüssiges Pektin

ANWEISUNGEN:

a) Die Stachelbeeren beschneiden, schwärzen und waschen. Die Stachelbeeren mit dem Wasser in einen Topf geben, zum Kochen bringen und zugedeckt 15 Minuten köcheln lassen, bis die Schalen weich sind, dabei gelegentlich umrühren.

b) Den Zucker hinzufügen und langsam erhitzen, bis sich der Zucker aufgelöst hat, dabei gelegentlich umrühren.

c) Schnell zum Kochen bringen und 2 Minuten lang schnell kochen lassen, dabei gelegentlich umrühren.

d) Vom Herd nehmen und flüssiges Pektin einrühren – bei Bedarf abschöpfen.

e) Etwas abkühlen lassen, in einen Topf geben und wie gewohnt abdecken.

87. Kiwi-Marmelade

Ergibt: 5 Pfund

ZUTATEN:

- 2 Pfund Kiwis
- 3½ Pfund Zucker
- ½ Flasche flüssiges Pektin

ANWEISUNGEN:

a) Schälen Sie die Frucht dünn und entfernen Sie dabei das harte Stück am Stielende.
b) Die Früchte gründlich zerdrücken und mit dem Zucker vermischen.
c) In eine große Pfanne geben und vorsichtig erhitzen, bis sich der gesamte Zucker aufgelöst hat.
d) Schnell zum Kochen bringen und 2 Minuten lang kochen lassen (vollständig kochen).
e) Vom Herd nehmen und das flüssige Pektin einrühren und gut vermischen.
f) 2 bis 3 Minuten abkühlen lassen und wie gewohnt eintopfen.

88. Mark-Ingwer-Marmelade

Ergibt: 5 Pfund

ZUTATEN:
- 1 Mark
- 3¼ Pfund Zucker
- 4 Esslöffel Wasser
- Saft von 1 Zitrone
- 2 Unzen gequetschte Ingwerwurzel
- 4 Unzen gehackter kristallisierter Ingwer
- 1 Flasche flüssiges Pektin

ANWEISUNGEN:
a) Das Mark schälen, Schale und Kerne entfernen und fein schneiden.
b) Das Mark mit dem Wasser in einen Topf geben und zugedeckt 20 Minuten köcheln lassen.
c) Wurzelingwer sollte in einen Musselinbeutel gebunden und zusammen mit Zucker, gekochtem Mark, gehacktem kristallisiertem Ingwer und Zitronensaft in eine Pfanne gegeben werden; Gut vermischen und unter gelegentlichem Rühren vorsichtig erhitzen, bis sich der Zucker aufgelöst hat.
d) Zum Kochen bringen und 2 Minuten kochen lassen.
e) Vom Herd nehmen, den Musselinbeutel herausnehmen und das flüssige Pektin einrühren.
f) Abkühlen lassen, damit die Früchte nicht aufschwimmen. Wie gewohnt eintopfen und abdecken.

89. Gemischte Fruchtmarmelade

Ergibt: 5 Pfund

ZUTATEN:

- ½ Pfund (225 g) getrocknete Pfirsiche
- 4 Pfund (1,7 kg) Zucker
- ½ Pint (285 ml) Wasser
- ½ Pfund (225 g) Birnen
- 1½ Pfund (700 g) Äpfel
- ⅛ Pint (75 ml) Wasser
- ½ Flasche flüssiges Pektin

ANWEISUNGEN:

a) Die getrockneten Pfirsiche mindestens 4 Stunden in Wasser einweichen.
b) Äpfel und Birnen schälen, entkernen und in Scheiben schneiden. Mit den Pfirsichen und dem Wasser in einen Topf geben.
c) Abdecken und leicht köcheln lassen, bis es weich ist (ca. 15 Minuten).
d) Zucker hinzufügen und rühren, bis er sich aufgelöst hat.
e) Zum Kochen bringen und 2 Minuten lang kräftig kochen lassen.
f) Vom Herd nehmen und das flüssige Pektin einrühren.
g) Bei Bedarf abschöpfen. Wie gewohnt eintopfen und abdecken.

90. Pfirsich-Marmelade

Ergibt: 5 Pfund

ZUTATEN:

- 2¼ Pfund (1 kg) Pfirsiche
- 3¼ Pfund Zucker
- 1 Flasche flüssiges Pektin

ANWEISUNGEN:

a) Pfirsiche schälen und entsteinen, Fruchtfleisch hacken.
b) Wenn es den Früchten an Geschmack oder Säure mangelt, fügen Sie den Saft einer Zitrone hinzu.
c) Den Zucker und die vorbereiteten Früchte in einen großen Topf geben und vorsichtig erhitzen, bis sich der Zucker aufgelöst hat.
d) Zum Kochen bringen und 1 Minute lang kräftig kochen lassen.
e) Vom Herd nehmen und das flüssige Pektin einrühren.
f) Wie gewohnt abschöpfen, umtopfen und abdecken.

91. Birnen-Ingwer-Marmelade

Ergibt: 5 Pfund

ZUTATEN:

- 3 Pfund vorbereitete und gewürfelte Kochbirnen
- 3¼ Pfund Zucker
- ½ Pint Wasser
- Saft von 2 Zitronen
- Abgeriebene Schale einer Zitrone
- 1 gestrichener Teelöffel Ingwer
- 2 Unzen kristallisierter Ingwer (in Würfel geschnitten)
- 1 Flasche flüssiges Pektin

ANWEISUNGEN:

a) Birnen in Wasser kochen, bis sie weich sind.

b) 2Zucker, Zitronensaft, Schale und Ingwer hinzufügen und bei schwacher Hitze rühren, bis sich der Zucker aufgelöst hat.

c) Zum Kochen bringen und 2 Minuten lang schnell kochen lassen.

d) Vom Herd nehmen und das flüssige Pektin einrühren.

e) Noch 1 Minute kochen lassen.

f) 10-15 Minuten abkühlen lassen.

g) Wie gewohnt eintopfen und abdecken.

92. Ananasmarmelade

Ergibt: 4 Pfund

ZUTATEN:

- 1 ½ Pfund (0,7 kg) zubereitete Ananas
- 3 Pfund Zucker
- 1 Pint Wasser (300 ml)
- 1 Zitrone
- 1 Flasche flüssiges Pektin

ANWEISUNGEN:

a) Bereiten Sie die Früchte vor, zerdrücken Sie sie gründlich und geben Sie sie in eine große Pfanne.

b) Das Wasser hinzufügen, langsam erhitzen und kochen, bis es weich ist – etwa 30 Minuten.

c) Den Zucker und den Saft einer Zitrone dazugeben, gut vermischen und unter gelegentlichem Rühren langsam erhitzen, bis sich der Zucker aufgelöst hat.

d) Zum Kochen bringen und 2 Minuten lang schnell kochen lassen.

e) Vom Herd nehmen, das flüssige Pektin hinzufügen und 20 Minuten abkühlen lassen, um zu verhindern, dass die Früchte aufschwimmen.

f) Wie gewohnt abschöpfen, umtopfen und abdecken.

93. Pflaumenmarmelade

Ergibt: 10 Pfund

ZUTATEN:

- 5 Pfund (2,3 kg) Pflaumen
- 6½ Pfund (3 kg) Zucker
- ½ Pint Wasser
- ½ Flasche flüssiges Pektin

ANWEISUNGEN:

a) Pflaumen waschen, in Stücke schneiden, dabei so viele Steine wie gewünscht entfernen.
b) Geben Sie die Früchte und das Wasser in einen großen Topf.
c) Unter ständigem Rühren zum Kochen bringen.
d) Abdecken und 15 Minuten köcheln lassen.
e) Zucker hinzufügen, langsam erhitzen, bis sich der Zucker aufgelöst hat, unter ständigem Rühren, dann zum Kochen bringen.
f) Unter gelegentlichem Rühren 2 Minuten lang hart kochen, dann vom Herd nehmen und das flüssige Pektin einrühren.
g) Bei Bedarf abschöpfen, Topf abschöpfen und wie gewohnt abdecken.

94. Quittenmarmelade

Ergibt: 4½ Pfund

ZUTATEN:

- 3 Pfund Quitten
- 3 Pfund Zucker
- 1 Zitrone
- ½ Flasche flüssiges Pektin

ANWEISUNGEN:

a) Quitten schälen und entkernen (vollreife Früchte verwenden). Möglichst fein hacken.
b) Fügen Sie ½ Pint (240 ml) Wasser und den Saft einer Zitrone hinzu.
c) Zum Kochen bringen und zugedeckt 15 Minuten köcheln lassen.
d) Den Zucker abmessen und 1,1 kg vorbereitetes Obst in einen großen Einmachtopf geben und gut vermischen. Langsam erhitzen, bis sich der Zucker aufgelöst hat.
e) Zum Kochen bringen. Vor und während des Kochens ständig umrühren.
f) 1 Minute lang hart kochen.
g) Vom Herd nehmen und das flüssige Pektin einrühren.
h) Wie gewohnt abschöpfen, umtopfen und abdecken.

95. Loganberry- oder Tayberry-Marmelade

Ergibt: 7 Pfund

ZUTATEN:

- 4 Pfund (1,8 kg) Obst
- 5 ½ Pfund (2,5 kg) Zucker
- 1 Flasche flüssiges Pektin

ANWEISUNGEN:

a) Die Beeren zerdrücken und mit dem Zucker in eine Pfanne geben.

b) Unter gelegentlichem Rühren leicht erhitzen, bis sich der Zucker aufgelöst hat.

c) Schnell zum Kochen bringen und 2 Minuten lang schnell kochen lassen, dabei gelegentlich umrühren.

d) Vom Herd nehmen und das flüssige Pektin einrühren. Bei Bedarf abschöpfen.

e) Abkühlen lassen, damit die Früchte nicht aufschwimmen. Wie gewohnt eintopfen und abdecken.

96. Himbeermarmelade

Ergibt: 8 Pfund

ZUTATEN:

- 4 Pfund (1,8 kg) Himbeeren
- 2,5 kg Zucker
- 1 Flasche flüssiges Pektin

ANWEISUNGEN:

a) Die Beeren zerdrücken und mit dem Zucker in eine Pfanne geben.
b) Unter gelegentlichem Rühren leicht erhitzen, bis sich der Zucker aufgelöst hat.
c) Schnell zum Kochen bringen und 2 Minuten lang schnell kochen lassen, dabei gelegentlich umrühren.
d) Vom Herd nehmen und das flüssige Pektin einrühren. Bei Bedarf abschöpfen.
e) Abkühlen lassen, damit die Früchte nicht aufschwimmen. Wie gewohnt eintopfen und abdecken.

97. Rhabarber-Ingwer-Marmelade

Ergibt: 5 Pfund

ZUTATEN:

- 3 Pfund zubereiteter Rhabarber
- 3 Pfund Zucker
- ¼ Pint Wasser
- 1 oz (30 g) gequetschte Ingwerwurzel
- 1 Flasche flüssiges Pektin

ANWEISUNGEN:

a) Den Rhabarber fein schneiden, aber nicht schälen.
b) Messen Sie den Zucker in einen großen Topf und fügen Sie 3 Pfund vorbereiteten Rhabarber und das Wasser hinzu.
c) Fügen Sie 1 Unze gequetschte Ingwerwurzel hinzu, die in einem Musselinbeutel gebunden ist.
d) Gut vermischen und schnell zum Kochen bringen.
e) 3 Minuten lang hart kochen. Vom Herd nehmen und das flüssige Pektin einrühren.
f) Entfernen Sie die Ingwerwurzel aus dem Musselinbeutel.
g) Abschöpfen, Topf geben und abdecken.

98. Erdbeerkonfitüre

Ergibt: 5 Pfund

ZUTATEN:

- 2¼ Pfund (1 kg) Erdbeeren
- 3 Pfund Zucker
- 3 Esslöffel Zitronensaft
- ½ Flasche flüssiges Pektin

ANWEISUNGEN:

a) Bereiten Sie die Früchte vor, zerdrücken Sie sie gründlich und geben Sie sie mit dem Zucker und dem Zitronensaft in einen Topf.

b) Langsam erhitzen, bis sich der Zucker aufgelöst hat, dabei gelegentlich umrühren. Fügen Sie ein kleines Stück Butter oder Margarine hinzu.

c) Zum Kochen bringen und 2 Minuten lang schnell kochen lassen.

d) Vom Herd nehmen, das flüssige Pektin hinzufügen und 20 Minuten abkühlen lassen, um zu verhindern, dass die Früchte aufschwimmen.

e) Wie gewohnt abschöpfen, umtopfen und abdecken.

99. Erdbeermarmelade (ganz)

Ergibt: 5 Pfund

ZUTATEN:

- 2¼ Pfund (1 kg) kleine Erdbeeren
- 3 Pfund (1,4 g) Zucker
- 3 Esslöffel (50 ml)
- Zitronensaft (1 große Zitrone)
- ½ Flasche flüssiges Pektin

ANWEISUNGEN:

a) Bereiten Sie die Früchte vor und geben Sie sie mit Zitronensaft und Zucker in die Pfanne.

b) 1 Stunde stehen lassen, dabei gelegentlich umrühren.

c) Langsam erhitzen, bis sich der Zucker aufgelöst hat, dabei gelegentlich umrühren.

d) Fügen Sie ein kleines Stück Butter oder Margarine hinzu.

e) Zum Kochen bringen und 2 Minuten lang schnell kochen lassen.

f) Vom Herd nehmen, das flüssige Pektin hinzufügen und 20 Minuten abkühlen lassen, um zu verhindern, dass die Früchte aufschwimmen.

g) Wie gewohnt abschöpfen, umtopfen und abdecken.

100. Erdbeer-Rhabarber-Marmelade

Ergibt: 5 Pfund

ZUTATEN:

- 1 Pfund Rhabarber
- 1 Pfund Erdbeeren
- 1,7 kg Zucker
- ¼ Pints Wasser
- 1 gestrichener Teelöffel Natron
- ½ Flasche flüssiges Pektin

ANWEISUNGEN:

a) Den Rhabarber waschen und fein schneiden. Nicht schälen.

b) Die Erdbeeren gründlich zerdrücken.

c) Die Früchte mit dem Wasser in einen Topf geben, unter ständigem Rühren zum Kochen bringen. Zugedeckt 15 Minuten köcheln lassen.

d) Messen Sie 2 Pints (1130 ml) gekochtes Obst in einen großen Topf und füllen Sie die Menge bei Bedarf mit Wasser auf.

e) Den Zucker hinzufügen, vorsichtig erhitzen, bis sich der Zucker aufgelöst hat, dabei gelegentlich umrühren.

f) Zum Kochen bringen und 2 Minuten lang schnell kochen lassen.

g) Vom Herd nehmen und das flüssige Pektin einrühren.

h) Abwechselnd 5 Minuten lang umrühren und abschöpfen, um abzukühlen und zu verhindern, dass Früchte aufschwimmen.

i) Wie gewohnt eintopfen und abdecken.

ABSCHLUSS

Vielen Dank für die Bereitstellung zusätzlichen Kontexts. Hier ein möglicher längerer Abschluss für die letzte Seite des Das ultimative Marmeladen-Kochbuch mit 100 Rezepten:

Herzlichen Glückwunsch zum Erreichen der letzten Seite des Das ultimative Marmeladen-Kochbuch, einer umfassenden Anleitung zur Herstellung hausgemachter Marmeladen. Wir freuen uns, dass Sie sich entschieden haben, mit uns auf diese Reise zur Marmeladenzubereitung zu gehen, und hoffen, dass Ihnen die Erkundung der vielen köstlichen Rezepte in diesem Buch Spaß gemacht hat.

Wie Sie gesehen haben, kann die Herstellung eigener Marmeladen eine lohnende und befriedigende Erfahrung sein. Es ist etwas Besonderes, frisches Obst der Saison zu einem Brotaufstrich zu verarbeiten, den man das ganze Jahr über genießen kann. Egal, ob Sie Ihre Speisekammer mit klassischen Geschmacksrichtungen wie Erdbeere und Himbeere füllen möchten oder lieber mit einzigartigeren Kombinationen wie Blaubeer-Lavendel oder Feigen-Balsamico experimentieren möchten, die Rezepte in diesem Buch werden Ihnen dabei helfen, Ihre Ziele bei der Marmeladenzubereitung zu erreichen .

Im gesamten Marmeladen-Kochbuch haben wir unsere Leidenschaft für Marmeladen geteilt und Schritt-für-Schritt-Anleitungen bereitgestellt, damit Sie jedes Mal perfekte Ergebnisse erzielen. Von der Auswahl der richtigen Früchte bis zur Beherrschung der Kunst des Gelierens haben wir alles abgedeckt, was Sie wissen müssen, um in Ihrer eigenen Küche köstliche, hochwertige Marmeladen zuzubereiten.

Aber wir hoffen, dass dieses Buch Sie nicht nur mit Rezepten und Techniken versorgt, sondern Sie auch dazu inspiriert, bei der Marmeladenzubereitung kreativ zu werden. Wir haben Tipps für Geschmackskombinationen beigefügt und Sie dazu ermutigt, mit verschiedenen Früchten, Kräutern und Gewürzen zu experimentieren, um Ihre eigenen, einzigartigen Mischungen zu kreieren. Egal, ob Sie Ihrer Pfirsichmarmelade einen Schuss Whisky hinzufügen oder Ihre Erdbeerkonfitüre mit Basilikum aufgießen, die Möglichkeiten für Geschmackskombinationen sind endlos.

Während Sie auf Ihrer Reise zur Marmeladenherstellung voranschreiten, ermutigen wir Sie, Spaß zu haben und den Prozess zu genießen. Die Herstellung von Marmeladen ist eine wunderbare Möglichkeit, sich mit den Jahreszeiten zu verbinden, die Fülle der Erde zu feiern und die Früchte Ihrer Arbeit mit anderen zu teilen. Wir hoffen, dass Ihnen dieses Buch bei all diesen Dingen geholfen hat und dass die Rezepte und Techniken, die Sie gelernt haben, Ihnen in den kommenden Jahren gute Dienste leisten werden.

Vielen Dank, dass Sie sich für das Das ultimative Marmeladen-Kochbuch als Leitfaden für hausgemachte Marmeladen entschieden haben. Wir wünschen Ihnen viele schöne Stunden in der Küche und viele leckere Marmeladengläser, die Sie mit Ihren Lieben teilen können. Viel Spaß beim Marmeladenmachen!

Milton Keynes UK
Ingram Content Group UK Ltd.
UKHW020235060923
428083UK00007B/52